WAC BUNKO

日本では報道されない
[illegible]のファクト

谷本真由美

WAC

はじめに　ハマスの暴挙で世界が変わった

二〇二三年十月七日にイスラエルでは、武装勢力ハマスがガザ地区からフェンスを超えてイスラエルの音楽フェスティバルに参加していた多くの観客を攻撃、虐殺、拉致し、大事件となった。そしてこの事件は、国際情勢に多大な影響を与えている。

アメリカとカナダ、そしてイギリスをはじめ欧州各国の政府は公式にはイスラエルを全面的に支援している。これはフランスやドイツも同じである。「どっちもどっち」のコメントを出した日本政府に比べて、かなりはっきりとした物言いだった。

さらに政府にとどまらず、各国の著名人もイスラエル支援を表明している。イーロン・マスク、アーノルド・シュワルツェネッガーなど日本人にお馴染みの起業家や芸能人もイスラエル支援である。イーロン・マスクのように実際にイスラエルに飛び、虐殺の現場をその目で見ている有名人も少なくない。各国の議会やシンクタンクでは、十月七日の虐殺の様子を記録した動画を国会議員やジャーナリストがその目にしっかりと焼き付けた。障害者や乳児、女性、子供に対する想像を絶する行いを、ホロコーストの再来のようだと非難し、何日も眠れなかった人もいるほどだ。

これまで長い間、ユダヤ人に対する差別やホロコーストを肯定することはほとんどなかった。**ところが今回はハマスによる攻撃をきっかけに、ユダヤ人に対しての差別や暴力行為を肯定する人々がどんどん湧いてきているのである。**

その原因は各国のメディアにある。その多くは左翼系なので、大変偏向した報道で、パレスチナを支援している。また各国の野党にもパレスチナ支援者が少なくない。

Ｔｉｋｔｏｋなどのソーシャルメディアでは情報戦争が展開されており、学生や若い人向けにはパレスチナ支援を煽るコンテンツが山のようにあふれている。

背景を知らない人々はこのようなコンテンツに乗せられて、パレスチナ支援デモにかなり気軽に出向いている。

噴出した「反ユダヤ」

例えばイギリスの場合は、二〇二三年後半にロンドンで行われたパレスチナ支援デモはなんと十万人規模であった。毎週末行われるのでロンドン中心部に行くのはかなり危険である。デモ隊はかなり暴力的なこともあり、戦没者記念碑を破壊したり保守系の人々やユダヤ人を襲ったりすることもある。

しかし警察は訴訟を起こされることなどをおそれて、このような暴力的な人々を逮捕しない。その一方でなぜか保守系の有名人を微罪で逮捕したりしているのだから、全く納得がいかないという有権者が多いのである。

そして、こういったデモに参加する人々の中にはイスラム教徒がかなり多い。組織的に動員がかけられて、バスや電車で地方からやってくるのである。

イギリスを始め現在欧州大陸各国はイスラム教徒の人口がかなり多く、ロンドンの場合は一五%がイスラム教徒になっている。地区によっては人口の半分近くがイスラム教徒だ。彼らはパレスチナだけではなくハマスを支援しているということも少なくなく、支援デモでは「ユダヤ人を殺せ!」とか「ホロコーストをやれ!」と堂々と叫んでいることもある。

カナダのように実際にユダヤ人学校が銃撃される例まで出てきてしまっている。イギリスをはじめ欧州の他の国でもユダヤ人学校やユダヤ教の礼拝所であるシナゴークが週末は閉鎖されるということも起きている。

ユダヤ人はユダヤ人の特徴が目立たないような服装をすることも推奨されているのだ。

欧州は歴史的にキリスト教の国々であり、民主主義と表現の自由を重んじるところで、二十世紀にはファシズムの台頭を許してしまったという歴史もあることから、発言の多様性に対して大変寛容であった。ところが、**その寛容さを逆手にとって、ユダヤ人に対する差別発言や危害を肯定することを叫ぶ人々が出現してしまったのである。**

各国政府は公式にはユダヤ人に対する差別や暴力を否定しているのだが、こういった発言をする人々があまりにも多く、しかもその多くがイスラム教徒で、各国では「少数派」「外国人」であるために彼らの発言を封じたり、法的に処分することは差別行為だと糾弾されることもあり、非常に難しくなっている。多様性を重んじたあまりに、別の少数派が危害を加えられるという状況になっているのである。

なんという民主主義のパラドックスだろうか。少数派を尊重するがあまり、別の少数派が危害を加えられ、公道で殺害、殲滅《せんめつ》が堂々と叫ばれる社会になってしまっている。コロナ以前の欧州であればありえなかったことだ。

ナチスドイツの始めたホロコーストに「一般の人々も協力」し、全部で六百万人近くのユダヤ人が殺害されたという事実は欧州にとっての近代史の最大の汚点であり、ユダヤ人に対する差別やホロコーストを肯定することは絶対に許されないこととされている。

ナチスのホロコーストを「日本がかつて韓国や中国大陸で行ったことと同類だ」と言いはる人がいるが、凄惨さや規模では全く比較にならないのだ。

最も大きな問題は、欧州の「一般の人々も協力」したという点だ。ユダヤ人に対する密告、逮捕や強制収容所への輸送を手助けするなど、一般の人々が積極的にナチに協力した。ごく普通の市民がである。そしてナチは民主的に選ばれた政権であり、他の国の政府も民主的に選ばれていた。民主主義なのにもかかわらず、この大虐殺が発生したのである。

ホロコーストの再来のような状況に、私は恐ろしいものを感じている。

台頭する反イスラム政党は「極右」?

この状況は欧州の政治地図を激変させている。

ハマスの攻撃後に行われたオランダの総選挙(二〇二三年十一月二十二日)では過激な反イスラムを唱える自由党が第一党に躍進した。この政党の主張はイスラムというのはオランダ社会にとっては害悪になる宗教であり、自国の民主主義の価値観とは全く合わない、オランダの価値観を否定する主張を広めるものは全て排除されるべきだ、オランダの民主主義や表現の自由に従わない人間はオランダから出て行け、というものである。

オランダの約八割の地域で自由党の支持率がトップになり、オランダに住む外国人の多くもこの党を支持している。オランダは欧州において最もリベラルな国であり、安楽死や教育、風俗、麻薬、労使関係などで最も過激かつ先鋭的な政策を行うことでよく知られている。表現の自由に対しても大変寛容で、政治的な風刺なども活発だ。オランダ人の笑いは非常にブラックなセンスである。オランダの飾り窓（売春街）や合法の大麻の店などは欧州の他の国でもいまだに驚かれる過激さなのである。ところがそのオランダの有権者たちが今回は本当に激怒してしまったのだ。自由党が躍進した理由には明らかに十月七日以降のパレスチナ支援デモの影響がある。

オランダも戦時中には多くのユダヤ人を強制収容所に送ってしまった。オランダ人自身もナチスドイツに殺害されたり、強姦や奴隷にされるなどの被害を受けている。食糧危機になってしまい餓死した人もいるのだ。したがってオランダもイスラエルを完全に支持しており、ユダヤ人への差別はタブーなのである。

オランダだけではなく他の国でもイスラム教に対する反発が急激に高まっている。

例えばスウェーデンでは二番目に大きい政党は反イスラムを掲げ、イスラム教の害悪について堂々と述べるような状況だ。

フランスではリヨン近郊で高校生が誕生会の最中にアルジェリア系の若者に殺害されて

しまったことが原因で、各地で移民やイスラム教徒に反対する過激なデモが発生している。アイルランドではアルジェリア出身でアイルランド国籍を取得した犯罪歴がある男が幼稚園に侵入して子供と大人を刺してしまった。五歳の女の子は重体で生死をさまよっていた。激怒した保守系の人々は街に繰り出して移民反対のデモを行い、終いには暴動になった。これはここ十年で最も大きな暴動だった。これも十月七日以降のイスラエルにおける状況が引き金になっているとも言える。

世界から正義は消えたのか

これらの国だけではなく欧州全体で現在は保守派が大きな支援を得るようになっている。**その主張の主軸は反イスラム、反ハマス、反ロシア、反中国、反左翼、反共産主義である。**

欧州の有権者たちは、ロシアの戦争による燃料費の高騰が引き金となっている高いインフレ率、コロナが引き金となった不況、そして押し寄せる偽装難民や移民に悩んでいるが、左翼政党や左翼が牛耳るメディアがそれを無視し、ＬＧＢＴＱ、環境保護、動物愛護、途上国を優先することに激怒しているのである。

世界の平和と安定を乱すロシアと中国が大きな顔をし、ウクライナやウイグルで弱者の

命を堂々と奪うのに、自国の政府が断固とした態度で成敗《せいばい》できないことにも憤りを感じている。

特に中国はコロナの責任を取らず、様々な情報を隠蔽し、科学者の努力を踏みにじり、多くの人の人生を奪った。

私もコロナが最も厳しい時期に父をなくし、死に目にあえなかったので、中国に関しては個人的な怒りを感じている。感染防止のため、葬儀には母と弟しか出席できず、弟に火葬場からiPhoneで中継してもらった。

世界の何万人もの人々が、こんな寂しい形で家族を送らねばならなかった。多くの店が倒産し、多くの人が失業した。自殺した人もいた。しかし中国は、情報隠蔽や他国に協力しなかったことを全く謝罪していない。それを民主主義国家はなぜか厳しく追及しない。

世界から正義は消えたのだろうか。

市井の人々が望むのは、単に平和で安定した生活だ。欧州の人々は率直である。それを選挙で示したに過ぎない。しかしその様な「平和と安定を望む人々」が左翼系メディアによって「極右」と呼ばれてしまっている。こんな不公平、不正義は許されないだろう。この様な状況は日本ではなかなか伝っていない。日本のメディアが報道する内容を恣意的に選んでいるからだ。

本書は私が月刊誌『ＷｉＬＬ』で連載しているコラムをまとめ、書籍化したものだが、日本ではなかなか報道されない国際情勢や欧州政治に関して紹介させていただいている。私はこれまで『世界のニュースを日本人は何も知らない』（ワニブックス）シリーズでは、かなり砕けた内容で世界の政治や国際情勢を紹介してきた。少しでも多くの人に政治や世界に対して関心を持ってほしいので、あえて気軽な週刊誌のような感じで書いている。

一方、本書は政治に関心の高い『ＷｉＬＬ』の読者のかた向けにしているので若干固めな内容である。またイギリス王室に関する事柄も多数取り上げたが、イギリス王室で起きている様々な事件を通して、我が皇室に関して考えていただけるヒントになればと思う。

また本書全体を通して、日本のメディアとは一味違った切り口の国際情勢を、皆さんが理解する手助けになることを期待している。

そして考えていただきたいのは、この様な不安定な国際情勢の中で、何が正義であるか、そして、限られた人生の時間の中で、我々は子供や孫たちのために何ができるか、ということである。

日本では報道されない
世界のファクト

目次

装幀／須川貴弘（WAC装幀室）

序章《プロローグ》 エリザベス女王と安倍総理

かけがえのない指導者を失ったイギリスと日本

日本とイギリスは比べられることが多い。どちらも島国であり、秩序を重んじる国民性を有する。何より皇室と王室の存在が大きい。多くの国で王政が廃止されるなか、両国はロイヤルファミリーが国民統合の象徴、アイデンティティの核となっている。

日本とイギリスはともに二〇二二年、大切な人物を失った。安倍元総理とエリザベス女王である。

安倍元総理は世界中で愛されていた。訃報に接した各国首脳や著名人から送られたメッセージがすべてを表している。エリザベス女王は天皇陛下にお悔やみの言葉を述べた。異例中の異例ともいえる対応である。

「安倍さんは私たちの仲間です。育ちがよく教養にあふれた彼は、王室や貴族の世界を理解していました。安倍さんが亡くなってしまい、私は悲嘆に暮れています」

王族が階級社会のトップに君臨するイギリスにおいて、政治家は格下の存在である。他国の王族や皇族に追悼を寄せることはあるが、政治家にお悔やみを述べるのは珍しい。エリザベス女王は安倍元総理を心の底から尊敬していたのだろう。

日本のメディアは、安倍元総理を「右翼」「軍国主義者」扱いしていた。しかし、**海外で**

は世界秩序の安定に貢献した「リベラル」「平和主義者」という評価である。でなければ、女王はお悔やみなど述べない。ナチスとの戦争を体験した女王は、ファシズムや軍国主義が大嫌いなのだ。

その証拠に、中国の習近平主席はイギリス王室の厳しい洗礼を受けた。習主席がイギリスに国賓として訪れた際、エリザベス女王は手袋をしたまま握手をしたり、トイレの前に会談場所をセッティングしたりした。あえて失礼な対応をした背後には、中国共産党への嫌悪感がある。安倍元総理への対応とは雲泥の差である。

安倍元総理を最も過小評価している国が日本である。安倍元総理は七年八カ月にわたる長期政権を築き、国際社会においてもリーダーシップを発揮。日本の存在感を高め続けた。そんな安倍元総理の暗殺は、歴史的な大事件である。にもかかわらず、日本のメディアはワイドショー感覚で軽く報じてきた。警察の捜査もあっさりと終わってしまった。

稀代のカリスマ

安倍元総理はなぜ世界で愛されたのか。安倍元総理には政治家というより、スターのような存在感があった。〝華〟があるのだ。日本は世界第三位の経済大国なので、その政策には注目が集まる。しかし、なかでも安倍元総理は特別だった。海外のメディアや政府関係者といえども所詮は人間である。人間的に魅力があり、カリスマを備える人物には目がいってしまうのだ。

芸能人に通じるものがある。演技が上手い俳優が必ずしも人気者なわけではない。楽器が上手いミュージシャンの曲が必ずしもヒットするわけではない。勝新太郎が放《はな》っていた〝味わい〟は他の役者には出せない。ローリング・ストーンズの演奏はイマイチだが、何十年にもわたり音楽シーンの最前線にいる。それと同じことが政治家にも当てはまる。良い政策を打ち出しても、地味だと注目されないのだ。安倍元総理と岸田総理の違いはそこにある。

安倍元総理の周囲には自然と人が集まる。海外を訪問した際の映像をみても、国籍・人種を問わず様々な人々が笑みを浮かべている。日本の他の政治家が外国に行っても、同じ光景は見られない。安倍元総理はトランプ大統領やプーチン大統領など、一癖も二癖もある各国リーダーたちから信頼されていた。

政治家は〝祭りごと〟を司《つかさど》る。他人の心をつかめなければならない。政治を動かすのはマニフェストでもなければイデオロギーでもない。人間が感情の塊《かたまり》である以上、その心に訴えかける必要がある。安倍元総理はその能力に長《た》けていた。学校で勉強するだけでは身につかないものである。

国際政治を率いた安倍外交

安倍元総理は政策面でも非常に有能だった。

バブル崩壊後の〝失われた二十年〟から脱却すべく打ち出されたアベノミクスは、海外でも高く評価されている。日本は他の先進国に比べて、過度なインフレに陥《おちい》ることなく、経済の安定を保ってきた。日本経済の安定により、投資家は先行きを見通すことができる。安倍政権時代、海外の対日投資は活性化した。

リオ五輪の閉会式ではマリオに扮して登場した安倍元総理だが、東京五輪の成功も安倍元総理によるところが大きい。コロナ禍で行われた東京五輪を日本のメディアは批判していた。しかし、日本の感染症対策やもともと高い衛生観念は世界に再認識され、人類vsコロナ禍という戦いに終止符を打つきっかけとなった。

安倍元総理が残した最大の功績は〝地球儀を俯瞰《ふかん》する外交〟による対中包囲網の構築である。安倍元総理が掲げた「自由で開かれたインド太平洋」は「クアッド」として花開いた。

日本、アメリカ、オーストラリア、インド四カ国による戦略的同盟を形成したのである。**アジア太平洋におけるリーダーは中国ではなく日本――。いまやそれが国際社会の常識となっている。**

ブッシュ政権とオバマ政権の時代、米国はアフガニスタンやイラクなど中東に気を取られすぎていた。アジア太平洋の安全保障に空白が生まれたが、そのスキを突いたのが中国である。世界のリーダーでいち早く中国の脅威を認識していた安倍元総理は、国際会議でG7首脳に中国の正体を説いて回った。

巨大市場を抱える中国は、欧州各国にとっては格好のビジネスパートナーだった。イギリスではキャメロン政権が、ドイツではメルケル政権が〝商売相手〟としての中国に傾倒していたが、安倍元総理の粘り強い説得の末、先進国は対中政策で足並みを揃えたのだ。**日本の政治家が世界のルールづくりを率いる姿など、誰が想像しただろうか。**

ロシアのウクライナ侵攻、そして将来起こるであろう中国の台湾侵攻の前に自由・民主主義vs権威主義という構図が確立された。これが非常に重要である。西側諸国が一丸となり、中国とロシアに対峙する。今でこそ当たり前となっているが、実は当たり前ではなかった。それを実現させたのは、安倍元総理のカリスマとリーダーシップである。

日本国内においても、安倍元総理は強力なリーダーシップを発揮していた。岸田総理と比較すれば、それは浮き彫りになる。LGBT法案をめぐる議論に際しても、自民党内ですら賛否が分かれた。移民政策や経済政策でも意見の対立が目立つようになってきている。**安倍元総理という重しがとれたことで、自民党内に緊張感がなくなってしまった。**

安倍政権で外相を務めた岸田総理は、今のところ安倍外交のレガシーを継承している。しかし、〝裏金〟騒動の自民党すらまとめられない岸田総理である。安倍元総理のように国際秩序づくりを先導する姿は想像できない。安倍元総理が偉大すぎたのだ。

古き良きイギリス人

エリザベス女王も安倍元総理と同じく、強烈なカリスマとリーダーシップを放つリーダーであった。エリザベス女王が即位したのは一九五二年、ビートルズやフェミニストが登場する前である。

第二次大戦で国土を破壊されたイギリスを復活させ、衰退が続く経済を立て直す。「大英帝国の栄光をもう一度！」と望む国民の期待に応えられるだろうか、重責を二十代の女性に負わせるのは酷ではないか。そんな懸念があったことは想像に難くない。しかし、エリザベス女王は見事に不安をはねのけた。

当時のイギリスは保守的で、女性の立場は弱かった。男性はあらゆる点で女性より優れていると考えるイギリス人は多く、若者は年長者に従うべきだという風潮も強かった。そんななか、イギリス社会の変革を任されたのがエリザベス女王だった。戦後処理や植民地の独立、不況脱却、製造業から知識産業への移行、フォークランド紛争、アイルランド共和軍（IRA）によるテロの頻発……。厳しい時代だったが、エリザベス女王は強い信念をもってイギリスを率いてきた。

イギリスにおいて、王族は国民を政治・軍事の両面でまとめるために重要な役割を担っている。時代が変わっても、王族は厳かな儀式を重んじ、豪華な城や宮殿を住まいとする。その安心感をイギリス人と共有できるのは、皇室のある日本くらいだろう。

エリザベス女王のモットーは「**絶対に苦情を言わず、絶対に説明せず**」というものである。ジョージ六世の王妃、つまりエリザベス女王の母親は結婚の際、新聞取材にあれこれ答えてしまった。それに腹を立てたのがジョージ六世の父、ジョージ五世だった。それ以来、女王の母親は「絶対に苦情を言わず、絶対に説明せず」を貫く。エリザベス女王もそれを引き継いだのだ。**多くは語らず、清貧を貫き、私生活よりも公務を優先する。威厳の**

あるリーダーとして常にイギリスの人々を見守ってきた。

王族はかつて無条件に神聖なものと考えられていた。しかし、今は時代が違う。合理主義が浸透していく社会において、どうすれば人々の心が王室から離れるのを防げるか——。女王は生涯にわたり、その課題と向き合っていた。

王室の威厳を守ろうと奮闘した女王の努力は実る。イギリス国民は誰しもが、エリザベス女王こそイギリスを体現する存在だと認識するに至った。エリザベス女王はクールでタフな印象を与える一方、国民と気さくに言葉を交わす親しみ安さも備えていた。古き良きイギリス人そのものである。

エリザベス女王の下で奮起したイギリスは過去の栄光を取り戻しつつある。長きにわたる不況から抜け出し、ふたたび経済成長を始めている。ウイルス研究やＩＴにおいては世界をリードしている。リーダーは国民を映す鏡なのだ。

二人の死は世界の大きな損失

エリザベス女王が二〇二二年九月に亡くなった。その後のイギリスはなんとなく元気がない。安倍元総理を失った日本とオーバーラップする。

チャールズ国王の戴冠式はさほど盛り上がらなかった。エリザベス女王の圧倒的なカリスマと比べるのは酷かもしれないが、国王本人にも責任はある。

チャールズ国王はヘンリー王子に莫大な資産を与え、王族としての地位もうやむやにしている。妻のメーガンとともに王室の悪口を触れ回っているにもかかわらずだ。アメリカの元富豪で組織的な性犯罪を行っていたジェフリー・エプスタインと親交があり、児童虐待に関与疑惑がある自身の弟アンドリュー王子にも非常に緩い対応で済ませている。チャールズ国王は戴冠式で、王族ではないカミラ妃の孫たちをバルコニーに立たせて国民に挨拶させてしまった。

チャールズ国王はこれまでの行動にも問題が多い。長年の不倫、ダイアナ妃の死、庶民を無視した豪華で自意識の高い生活、無神経な発言、公務より趣味を優先してきたこと……。それでいて身内に甘いチャールズ国王に、国民が不満を募らせるのは当然である。公私混同を隠そうともしない国王の求心力は急速に失われ、王室廃止論を唱える声も大きくなっている。伝統的な王室ファンからの支持も失いつつある。このままでは民心が離れていき、王室の権威は失墜するだろう。

ウクライナ戦争によるエネルギー価格高騰は続き、庶民は苦しい生活を強いられている。

ストライキも頻発していて、通勤すら大変な状況だ。本来であれば、国王が手本を示すことで、国民の士気を上げなければならない。ところが、正反対のことをやっている。チャールズ国王の戴冠式に冷たい視線が向けられたのも頷《うなず》ける。

国民が一つにまとまり、かつ価値観をともにする国同士が足並みを揃えなければならない。米中対立が深刻化するなか、自国民と国際社会から尊敬される安倍元総理とエリザベス女王の死は世界の損失である。二人のカリスマに代わりはいない。しかし、悲嘆に暮れているヒマなどない。岸田総理とチャールズ国王ができるのは、偉大な前任者に学ぶことである。

第一章

なぜイギリスはイスラエルを支援するのか

イスラエルは欧州のお気楽な観光地だった

二〇二三年十月七日に、武装勢力であるハマスは、イスラエルのガザ地区の国境のフェンスを突破し、突如攻撃を開始する。イスラエルの住居、街路、音楽祭で数百人を虐殺し、イスラエルとガザ地区双方で少なくとも二千三百人が殺害された。この音楽祭はガザ地区の近くで開催された平和のためのイベントであり、海外から数多くの音楽ファンや観光客、DJの人々が集っていたことから世界中に大変な衝撃を与えた。

この音楽祭に出席していた人の中には日本人の方もおり、幸いにも被害に遭うことがなく帰国された方もおられた。現地の様子は日本のメディアでは詳細は伝えられていなかったが、助かったのは車で逃げたり、走って民家の方に逃げた方々であった。

ハマスのテロリストは観客が隠れていると思われる移動式のトイレのドアを銃撃し、実際に観客が隠れていたガソリンスタンドや近くの住宅地も襲った。この攻撃は完全に無差別であり、命を落とした方々はイスラエル人のほか国籍は各国におよび、その中にはアラブ人もいた。そして子供や障害者の方までいたのである。最も悲惨な被害者の一人はイスラエル人の父親と十代の筋ジストロフィーの患者の娘さんであった。体が不自由な娘さんに音楽の楽しさを知ってもらいたいと、寝たきりに近い娘さんを特別な車椅子に乗せてイベントに参加し、コンサートの最中は体を抱えて楽しんでいたのである。ところが、この親子すらハマスの犠牲になったのだ。娘さんの車椅子と二人の遺体が発見されたのは数日後のことであった。

このような音楽祭に欧州を中心に世界各地から様々な人々が参加していたことに驚かれた方が多いかもしれない。

日本人には、イスラエルは「常に紛争が起きている」というイメージがあるかもしれない。ところが、ここ最近のイスラエルというのは、欧州人にとって旅行先としてとても人気があるところだったのだ。寒い欧州と異なり、スイカやバナナが栽培できる乾燥した温暖な気候、世界遺産も多く、死海のようなインスタ映えする観光地もある。飲食はコスモポリタンで、アメリカ式のファストフードや中東のファラフェルから、フレンチ、日本食となんでもある豊かな国だ。近隣の国々に観光に出かけるのにもとても便利である。ユダヤ教の人だけではなくイスラム教やキリスト教徒にとっても宗教的に重要な場所があるため巡礼目的でやってくる人も多い。最近は様々なイベントが開催されたりすることもあり、宗教的な目的というよりも単なる休暇で訪れるという人も少なくなかった。実際、イギリスからは激安航空会社が飛んでいた。ライアンエアやイージージェット、ウイズエアに乗れば、イギリスからはなんと片道一万円程度、四時間ほどで到着するので、日本から台湾や韓国、グアムに遊びに行く感覚だ。これまでは、実に庶民向けのお気軽な観光地だったのだ。

ここ最近はお気楽な観光地扱いであったイスラエルがこのような状況になったので、イギリスを始め欧州の人々は大変な衝撃を受けているのである。**しかも自国民がかなり凄惨な形で殺害され、人質にもなっている。これが、各国がイスラエル情勢に入れ込んでいる大きな理由の一つだ。**日本人に犠牲者が出なかったのが不幸中の幸いである。

このような空気感はイギリスや各国のテレビを見てもわかる。イギリスの民放ＩＴＶでさえ、いつもは高齢者向けの病気やお料理コーナーだらけの朝のワイドショーで、現地からの生中継があり、現役の軍人や中東政治専門家が登場している。ウクライナ開戦時に近いかなり緊迫した状況なのである。ＩＴＶは主要な視聴者が中年以上の一般の人々で保守系なので、こういったワイドショーでもハマスを完全に非難し、朝から熱の入った議論が繰り広げられていた。その大半はイスラエル支援の意見だ。私はこの番組をイギリスの世論の大まかな指標にしているが、この番組が生真面目な内容を扱うのは「事態が相当緊迫している」ということである。テレビ東京が路線バスの旅を流さなくなるという状況を想像したらわかる。

テレビや世論同様、イギリス政府は完全にイスラエル支持である。官庁の建物などはイスラエルの国旗をライトアップすることが指示され、攻撃直後にスナク首相がイスラエルにお悔やみを述べ、イギリスはイスラエルとともに戦う決意を表明した。イギリスと同じく、パリのエッフェル塔や政府機関、ドイツのブランデンブルグ門、アメリカのホワイトハウスや主要都市の有名な建物がイスラエルの国旗をライトアップしたり、イスラエルカラーで支援を表明した。

さらに日本と異なるのは、イギリスは首相から政府機関、王室までがハマスを「テロリスト」と呼んでいることだ。チャールズ国王も攻撃の直後にイギリスのユダヤ教の最高位にあるラビを訪問し、連帯を表明しお悔やみを述べている。イギリスの場合、ハマスを「武装勢力」と呼ぶのは、BBCや労働党の極左議員に限られているのだ。

スナク首相は二〇二三年十月にイスラエルを含む中東訪問にあたって、X（旧ツイッター）に以下のように投稿した。「国際社会として、ハマスのテロ攻撃がガザでの恐ろしい人道的危機の触媒にならないようにしなければなりません。地域の安定を確保し、危険なエスカレーションを防ぐために協力します」。またイスラエルのネタニヤフ首相の訪問の際には「我々はイスラエルに勝利してほしい」とはっきりと伝え、またその前の週に発生したガザ地区の病院のイスラエルによるとされた空爆（後に誤報と判明）に関しては「イギリスが国際法に従ってイスラエルの自己防衛権を支持している」ことを強調し、「市民を傷つけないようにするためのあらゆる注意を払っていることを知っています」「ハマスのテロリストとはまったく対照的で、ハマスは市民を危険にさらそうとしている」とし、さらにイスラエルの「自己防衛権利」を支援すると述べているのだ。

日本ではこのような動きは見られず、G7においては浮いている印象だが、中東湾岸諸国の多くはパレスチナ支援でイスラエルを非難しており、日本が原油を始めとするエネルギーの大半を中東諸国に依存しており、外交的にかなり難しい立場であることを考えると仕方がない。

では、なぜイギリスはじめ西側諸国は、パレスチナ人への人権侵害などが報道されており、世界各地で大規模なイスラエル反対デモが起こり、アラブ諸国はパレスチナ支援を表明しているのに、イスラエルをこんなに支援しているのか？

これにはイスラエルをめぐる歴史の理解が重要である。

そもそも 現在のイスラエルがある土地は、かつてはパレスチナと呼ばれ、オスマン帝国（今のトルコの母体）が支配している場所であった。当時は今よりも人口が少なく、住んでいる人の多くはアラブ系で、ごく少数のユダヤ人やキリスト教徒、さらに遊牧民も住んでいた。多くの土地はまだ開墾されておらず、あまり豊かな地域ではなかった。ただパレスチナには、イスラム教、ユダヤ教、キリスト教それぞれの重要な聖地があり、宗教的に重要な場所だったのである。

ユダヤ人は西暦七〇年のローマ帝国軍との戦争でエルサレムを占領され、世界各地に離散していく。それ以前にも近隣に移動するユダヤ人もいたが、この事件が大きな契機となった。

それからだいぶ時間が経ち、かつてこの地に住んでいたユダヤ人が戻ってくるようになった。パレスチナに移民することを提唱する人々の考え方の背景には「シオニズム運動」というものがある。これは十九世紀に盛んになった「民族運動」で、ドイツや他の国で書籍が出版され、ロシアと欧州に広がっていった。欧州はじめロシアには数多くのユダヤ人が住んでいた。長い間多くの国で、ユダヤ人は非常に厳しい状況に置かれていた。十三世紀には多くの西ヨーロッパの国々から追放されてしまう。追放された人々の多くは東ヨーロッパやロシアに住み着いたが、中にはパレスチナに移民した少数の人々もいた。ロシアに住み着いたユダヤ人の多くは、ロシアの西側へ住まなければならなかった。これは今のベラルーシやウクライナにあたる。これらの地域での生活は楽ではなかった。

しかし、ロシアでのユダヤ人に対する差別や偏見は欧州以上に激しく、一八八一年にロシアでユダヤ人の大規模な殺害が起きるようになると、多くのユダヤ人がロシアからパレスチナに移民するようになる。学界や政治の世界での重要人物がユダヤ人だったのにもかかわらず、ロシアでの迫害は止まらなかった。イギリスにもロシアから逃げてきた十五万人が移民し、多くがロンドンの東側に住み着く。新大陸を目指した人々もおり、二百万人がアメリカに渡った。

意外とユダヤ人が多いイギリス

イギリスの二〇二一年の国勢調査によれば、イギリスにおけるユダヤ人は人口の〇・五%で、六・五%のイスラム教徒や一・五%のヒンズー教徒よりも少ないが、定住の歴史は長い。十九世紀にはイギリス全土で二万人ほどだったユダヤ人は、十九世紀のロシアや東欧からの移民、さらに第二次世界大戦の際にドイツから移民した人を含めると一九四五年には四十五万人ほどになる。実は十一世紀以前からイギリスにはユダヤ人が住み着いていた。差別や迫害があり、十二世紀のポグロムなど大規模な虐殺もあったが、十八世紀頃になると商業活動が自由になりユダヤ人も活躍する。イギリスは欧州の中では宗教の縛りが薄く、プロテスタントの勤労と信仰心を結びつける考え方もあって、ある種の拝金主義的な考え方が全土にある。金の話を嫌い、形式的な格式や肩書にこだわる欧州大陸と異なり、稼げるものは歓迎するという文化があるのである。

そのような中で、ユダヤ人にもある程度の道が開かれており、ユダヤ人は欧州大陸から引っ越してきてビジネス、法律、医療、芸術などの分野で能力を発揮する。イギリスの高級スーパーであるM&S（マークスアンドスペンサー）の創業一家はユダヤ系で、その他に金融や学術界、芸術などで活躍するユダヤ人も多い。イギリス北部ニューカッスル近くにはベルギーから移住してきたユダヤ人が住んでおり、戦前や戦中は軍需産業に従事していた。この近くのゲーツヘッドには欧州最大のユダヤ人神学校ゲーツヘッド・イェシーバーが存在し、ベンシャム地区には戦前から超正統派ユダヤ人が住んでおり欧州最大となっていて、リトル・エルサレムと呼ばれている。実は私の家人の地元が近く、家人のお爺さんの家のお隣は超正統派ユダヤ人の一家で、安息日には何も労働をしてはならないので、お爺さんが代わりに電気のスイッチを入れてあげたり、お茶を入れたりしていたのである。イギリスは基本的に戦前からかなり寛容な社会で、熱心なキリスト教メソジストのお爺さん夫婦の家の隣に超正統派ユダヤ人の一家が住んでいたのだ。さらに戦時中は、イギリスはドイツから逃げてきたユダヤ人を匿《かくま》ったのである。

一方、十九世紀のドイツ、オーストリア・ハンガリー帝国、フランスではユダヤ人に対する迫害が強かった。一八九四年には第三共和政のフランスで「ドレフュス事件」が起きる。これはフランスの山間であるアルザス地域の生まれであるユダヤ系の軍人ドレフュス大尉がドイツのスパイだとされて裁判で無期流刑の有罪になってしまった事件だ。ユダヤ人に対する差別があったためだと再審を請求する共和派と、それに反対した王党派で意見がわかれ、国が二分する状態になる。これを見ていたハンガリーのブダペスト産まれの新聞記者であるテオドール・ヘルツルは、大変なショックを受ける。彼は当時、非常に先進的で多国籍文化と知性にあふれるとされたドイツで生活していたが、ドイツですら反ユダヤ主義の政治家が当選、東欧でユダヤ人が激しい弾圧を受け、オーストリアでも反ユダヤ主義が盛り上がりつつあるのも合わせ、欧州社会におけるユダヤ人への偏見の強さや差別の根深さを実感し、シオニズム運動を提唱し書籍を出版する（『ユダヤ人国家』法政大学出版局）。これはパレスチナ西岸を中心とする「イスラエルの地」に「ユダヤ民族」が「再定住」し、トーラー（ユダヤ教の教え）とシオニズムの規範に基づく共同体を実現することが、「ユダヤ民族」の真の救済につながると主張する考え方だ。国を持たなかった「ユダヤ民族」は、自分たちの国を持ち、差別がない中で生活すれば自由に生きられると考えたのだ。

移住先としてはパレスチナ西岸の他に、ウガンダや南米も考えられていた。一方で超正統派ユダヤ人という保守系ユダヤ教の人々は、「ユダヤ人が離散しているのは神様が決めたことだから、ある土地に集うのは教義に反する」と反対した。この主張は現在でも同じだが、しかし超正統派ユダヤ人の中にもイスラエルを母国とすることに賛成する人もおり、ユダヤ人の中でも意見は割れている。

ヘルツルの考え方は欧州や東欧だけではなくアメリカのユダヤ人にも支援されるようになり、経済的、政治的に力を持ったユダヤ人は、北米や欧州で政財界へのロビー活動を展開し、パレスチナへの移住の筋道を作り上げた。欧州諸国はイギリスがこのようなユダヤ人の動きに対して中心的な役割を果たして「ユダヤ人国家」の建設を行うことを期待したのである。

イギリス三枚舌外交の罪

一九一七年には当時の外務大臣であるアーサー・バルフォアが、イギリスのシオニズム運動の代表であり財閥を所有していたウォルター＝ロスチャイルドに手紙を送り、「パレスチナにおけるナショナル・ホームの設立」に賛成する。「手紙で約束しましたよ」という形式であったが、イギリス政府が正式に認めたのである。これが後に「バルフォア宣言」と呼ばれている「約束」で、イスラエル建国をイギリスが支持した根拠になっている。当時のイギリスは第一次世界大戦でオスマン帝国に勝利すべく、パレスチナの戦いを有利に進めたいという意図が裏にあった。また戦費が必要だったので富豪のロスチャイルド家やユダヤ人諸氏からの支援が必要だったのである。

一方、裏ではアラブ諸国の独立をも約束するフセイン・マクマホン協定をフセインと結んでいる。フセインは当時のアラブ世界で最も崇敬を受けたハーシム家の当主である。協定は「アラブ諸国の独立を支持するかわりに、イギリスと敵対していたオスマン帝国に反乱を起こしてくれ」という約束であった。その上イギリスは一九一七年にはサイクス・ピコ協定をまとめる。アラブ諸国には秘密である。サイクスはイギリスの外交官で旅行家、ピコはフランスの外交官である。これは第一次大戦が終わってオスマン帝国が負けたら、アラブをイギリス、フランス、ロシアで分割しよう、パレスチナは国際管理にして皆で管理してやりましょうという勝手な約束である。この「約束」には最初はロシアも入っていた。

しかし一九一七年にはロシアで革命が起こる。ロシアには「帝国主義の悪徳さを暴露して我が国の印象を高めたい」という意図があったので、この「約束」から離脱し、「こんな密約があった」とアラブ社会に公開してしまう。当然アラブ諸国は激怒した。サイクス・ピコ協定は実は今の中東の国境や力関係にも大きな影響を及ぼしている。イスラム国は「サイクス・ピコ協定は西側帝国主義の象徴であり、現在のアラブ諸国の国境は廃止して巨大なイスラム国を作るべきである」と主張しているのである。

三つの「協定」は互いに矛盾していた。しかし、いざオスマン帝国が負けるとアラブ地域はイギリスとフランスが委任統治することになる。委任統治とはなんとなく公平な言い方だが、実際は「国際連盟から管理を委託された」という形式だけで実際は植民地支配と変わらない。パレスチナは一九二二年にイギリスの委任統治になるが、ロシアや東欧での迫害を逃れたユダヤ人がどんどん引っ越してきてしまい、地元のアラブ系の人々と紛争が起きるようになる。駐留していたイギリス人も殺害されるようになり、英仏ともパレスチナの統治を国際連合にまる投げしてしまう。

その後、国際連合ではユダヤ人とパレスチナ人の居住地域を分ける取り決めが提案されるが、紛争が起きるようになってしまう。一九六〇~七〇年代にはイギリスは石油がほしいのでアラブの方にせっせと媚を売り、イスラエルには敵対していた時期もあったが、一九六七年の第三次中東戦争ではイスラエルを全面的に支援、また表立って支援していなかった時期にもイスラエルにはこっそり武器を売っていたこともあった。

イギリスがイスラエルにつかざるを得ない三つの理由

このような歴史的経緯があり、国内にも大勢のユダヤ人がいるため、イギリスはイスラエル支援なのである。また現代では経済的、軍事的理由がイスラエル支援の理由になっている。

最も重要な理由の一つが軍事産業である。イギリスはイスラエルに対して軍需製品を輸出している。イスラエルで使用されるF－35ステルス戦闘機はアメリカのロッキード・マーティン主導で開発されているが、一五％の部品はイギリスのBAEシステムズやロールスロイスなどが作っているので、イスラエルは重要な顧客なのである。さらにイギリスは核ミサイル搭載可能な潜水艦の部品も輸出している。イスラエル国軍（IDF）はドルフィンクラスINSタニン（通称クロコダイル）という潜水艦を運用しているが、これにもイギリスの部品が使用されている。

二つめは、EUを離脱したイギリスにとって、イスラエルは重要な貿易パートナーで輸出先としても重要なのである。イギリスは二〇二三年三月には二〇三〇年まで継続するイスラエルとの貿易二国間協定を締結している。現在イギリスでは四百社に及ぶイスラエルのハイテク企業が活動している。イスラエルはイギリスに十億ポンド（一ポンド百八十円で約千八百億円）投資しており、一万六千人の雇用を生み出していると言われる。

経済的な結びつきを強化するために、イギリスはイスラエルの広報活動にも積極的に関与しており、二〇二四年には「国際ホロコースト記念連合」(International Holocaust Remembrance Alliance）を主催し、事実主体でホロコーストに関する理解を深め、特にメディアに対する啓蒙を行うと述べ、イスラエルに対する支援を表明している。

三つめは軍事戦略である。イギリスはイスラエルを中東における重要な「資産」だと考えている。これはイランとシリアという中東における最大の敵を牽制するためだ。イスラエルに軍事的、経済的支援を行うことで、直接手を下さずにこの二カ国を牽制することが可能になる。最も大きな懸念はイランの核である。またこれはイギリスの最重要同盟国であるアメリカの意図に沿ったものでもある。イギリスはサッチャー政権時代にはイスラエルとは機密情報の共有をしないとして距離があったが、近年はイランに対応するために英国情報局秘密情報部（Secret Intelligence Service：SIS、通称MI6）と、モサド（イスラエル国家情報局）は大変近い関係にあるとイギリスの新聞「デイリー・テレグラフ」は報じている。

なぜイスラエルはハマスの大規模テロを防げなかったのか

そして現在イギリスで注目を集めているのが、世界最強と言われるイスラエルの諜報機関がなぜ今回の攻撃を予期できなかったかである。これは常にテロの脅威にさらされているイギリスにとって他人事ではない。この失敗に関しては、前英国情報局秘密情報部長官であるアレックス・ヤンガー卿がＢＢＣラジオ４の「The Today Podcast」で語った指摘が興味深い。

彼はイスラエルの情報機関が危険を察知できなかった主要な理由は二つであったと述べる。第一に、最も大きな失敗は想像力の不足であった。突発的な攻撃を予期できなかった状況は、アメリカが攻撃された９・11テロに似たものであったという。９・11では、アメリカ国籍を持ち、アメリカに居住する一般市民に偽装したテロリストが数年間にわたって綿密な準備を行い、アメリカ国内でパイロットとして訓練を受けて、民間航空機をのっとり世界貿易センタービルとアメリカ国防総省（ペンタゴン）に自爆攻撃を行い、多数の死傷者を出した。これはアメリカ政府が全く予期していない攻撃であり、現実的ではないと思われていた手法であった。

今回のガザ地区の攻撃も、イスラエルはイスラエル国防軍（ＩＤＦ）のそれまでの展開によって、ガザ地区からのハマスからの脅威は沈静化しているという仮定が前提にあったという。つまり油断していたところで突然奇襲されてしまった。これは「自分は大丈夫だ」という正常性バイアスの考えが、世界最強と呼ばれるイスラエルの諜報機関でさえも優勢だったということだ。イスラエルでさえ抜けがあり、「孫氏の兵法」の徹底は難しいのだ。

さらに、ヤンガー卿は、攻撃を示唆するデータはおそらく存在し、後から振り返ればそうだろうと思われるものであっても、イスラエル側は正常性バイアスにとらわれて危機を察知できなかったのだと述べている。

また特に重要な問題として、イスラエル側が安全保障に関して情報システムに過度に依存していた可能性もあるとも述べている。これは確かに複数のソースにより指摘されているのだが、ハマス側は攻撃計画の作成や実行に関して、デジタル機器や情報通信システムを極力使用せず、口頭、紙、ジェスチャーなどと言った大変原始的な手法でコミュニケーションを取っていたために、イスラエル側の諜報が兆候をつかめなかったのだという。これはデジタル社会の現在の落とし穴であると言えよう。

デジタル化によって防御が手薄くなっているという点は、フィクションの世界が先行している部分がある。例えば、二〇二三年の映画『ミッション：インポッシブル／デッドレコニング PART ONE』や二〇一二年の『007スカイフォール』では、主人公がアナログの手法で戦い、デジタルな敵に勝利する場面が登場する。フィクションの想像力から学ぶことも多いのだ。

第二点として、ヤンガー卿は「構造上の問題」を指摘する。イスラエルがミサイル追撃システムであるアイアン・ドームや国境のセンサー等、デジタル機器に過度に依存していた可能性があるのだという。技術は人間の洞察と並行して使用されなければ力を発揮できず、敵の「意図」を探るのには向かず、心理的に安心しすぎてしまうのだという。

つまり技術より人間の狡猾さや知恵のほうが、はるかに上だということを見逃してしまい、慢心があったということだ。イスラエルへの攻撃は、台湾有事の現実性が高まる我が国にも示唆が多い。今一度アナログな手法での諜報や防御の仕組みも見直すべきだろう。

第二章

英国保守派《ジョンブル》の逆襲

イーロン・マスクが明らかにした英国「赤い貴族」の没落

ツイッター（現X社）社員の大量解雇が世界中で話題騒然となった。新しくオーナーとなったイーロン・マスク氏は、日本企業であれば信じられないようなスピードで、三千五百人以上に及ぶ社員を解雇した。

日本のメディアだけでなく、本国アメリカのメディアもマスク氏の経営手法を批判している。その一方で、マスク氏の「英断」を評価する声も多い。ツイッターはこれまで、一日あたり五億円を超える赤字を垂れ流し、収益に貢献していない部門に大量の余剰人員を抱えていたからだ。

わずか五年で社員の数は二倍以上になり、契約社員や外注先も莫大な数に上った。収益に関係ないセミナーやカンファレンスを開催したり、社員たちが豪華な社内イベントに時間と金を使ったりしていた。勤務時間中に酒を飲んでいる社員がいたことも発覚している。まるで二十年前、ネットバブル全盛期のスタートアップ企業のようだ。それらのなかには倒産に追い込まれた企業も多い。

マスク氏の方針はシンプルでわかりやすい。とにかく赤字を減らし、ユーザーにとって利便性の高いシステムにするというものだ。裏を返せば、マスク体制以前のツイッター幹部たちはそんな簡単なことすらやってこなかったというのだ。

ここ十年ほど、アメリカもイギリスもソーシャルメディアバブルに沸いていた。イギリスの場合、ソーシャルメディア関連の企業はロンドンに集中している。

著名なソーシャルメディア企業で働く新卒社員は、技術系だと年収一千万円を優に超える。インターン学生のバイト代が月八十万円を超えるケースもある。とくにＡＩに精通した人材の需要は多い。

経理や総務、人事などの管理部門、マーケティング担当者なども高年収を誇り、二十代にして優雅な暮らしを手にしているのだ。その多くは有名大学を卒業したり、大学院でＭＢＡを取得したりした人たちだ。

彼らは「世田谷自然左翼」的な傾向がある。**「世田谷自然左翼」とは、世田谷区の高級住**

宅街に住みながら、弱者の味方のポーズを取りたがる人たちのことだ。

みな似たような服装に身を包み、ヨガやピラティスを愛し、高級自転車でロンドン中心部のオシャレなオフィスに出勤する。片手にはスターバックスもしくはタピオカミルクティー。たいてい中流以上の裕福な家庭出身で、文系学部を卒業している。彼らはリベラルな思想が強く、労働党や英国自由民主党を支持している。関心事は環境保護や「イルカの人権」である。美術品にスープをぶっかける環境活動家を支援している者も多い。

ところが、こういった人々はイギリス社会の全体を見るとごく少数である。収入でいうと上位一％にすぎない。

イギリスにおける一般庶民の年収は、日本の平均と大差ない。とくに地方在住の人々は、製造業やサービス業に従事していることが多い。製造業にかつての力はなく、仕事すら見つけるのが難しい。イギリス国民の大半は日々の生活で手一杯なのだ。

そんななか、ソーシャルメディア企業で働く人々は、華やかな生活をSNSで自慢している。環境保護や「イルカの人権」には熱心だが、地方の非正規雇用者や高齢者の生活には興味がない。現代における格差の象徴といえる。

ツイッター社員の大量解雇を批判しているのはマスコミだけで、同情を寄せる声がほとんど上がってこない。

近年の労働党やイギリスの自由民主党にも同じような傾向が見られる。伝統的な支持層である地方の製造業勤務の労働者をないがしろにする代わりに、都市部の若者にターゲットを絞ってきた。国民の支持を失うのは当然である。

ソーシャルメディア企業に勤める「赤い貴族」たちが、ニュースやトレンドを意図的に操作して、左翼的な考え方をユーザーに刷り込もうとしていたことも発覚している。

しかし、賢い庶民は彼らの汚いやり口を見抜いていた。SNS上でいくら洗脳しようとしても、イギリスにおける環境保護の支援は増えない。日本でも若者が自民党を支持している。「ふつうの人々」は左翼ツイートの押し付けなど求めていない。年金、非正規雇用の待遇、中国の脅威、ウクライナ情勢、アニメやゲームの新作、皆既月食……。なにより静かで安定した生活を求めている。

「赤い貴族」たちは市場原理に敗北した――。そのことを浮き彫りにしたマスク氏の功績は大きい。

暴かれたツイッター社の「保守言論封殺」

大手メディアの凋落《ちょうらく》は世界の潮流である。日米欧だけでなく、発展途上国においても、SNSの影響力は新聞・テレビを凌駕《りょうが》しているのだ。なかでも最強の世論形成ツールがツイッター(現X)にほかならない。

ツイッターはなぜ覇権を握ることができたのか。理由はその設計思想にある。

ツイッター創業者のジャック・ドーシーは若い頃、企業向けの書類を配送する仕事に従事していた。顧客がいつ配送物を受け取れるか、他の配送人はどこにいるか、荷物はどこにあるか、交通状況はどうなっているか。これらの情報がリアルタイムでわかれば、仕事はずいぶん楽になる。ドーシーはそう考えたが、現実は甘くない。

一九九〇年代のアメリカには、解決手段はなかった。携帯電話を使えばいいではないかと思うかもしれないが、携帯電話サービスは日本よりも遅れていた。筆者は留学中に体験したが、通信が途切れるのは日常茶飯事。ショートメッセージは頻繁に、しかも大幅に遅延するのが当たり前で、届かないことすらあった。そんな有様では、配送業務に使用することなどできない。

アメリカは日本の二十五倍の国土面積を持つ。通信網の整備には大変な時間とカネがかかってしまう。通信インフラは気温や天候の影響も受けるが、アメリカには極寒の地域も少なくない。

ドーシーは閃《ひらめ》いた。当時普及し始めていたインターネットを利用すれば、気軽にリアルタイム情報を拡散できるサービスをつくれるのではないか。そのアイデアに賛同する仲間たちが集まり、ツイッターの原型が産声を上げた。

ツイッターの目的は、百四十字のテキストを迅速に途切れることなく不特定多数に拡散することにあった。だからこそ、リツイート機能や引用リツイート機能が搭載されている。

「拡散」が重要なのだ。

フェイスブックやインスタグラムのように、画像や動画を重視しなかったのにも理由がある。画像や動画のファイルを添付すれば、通信回線に負荷がかかり拡散が遅れてしまう。機能は必要最小限のシンプルなもので十分だった。

しかし、便利なものは悪用される。それが世の常である。ツイッターの「拡散力」に目をつけたのが、各国の政府である。個人の発信がインターネット回線を通じて世界中に一瞬で拡散される。これを政治利用しない手はない。優秀なプロパガンダ拡散ツールと化して今に至る。

ウクライナ戦争は「SNS戦争」でもある。ウクライナ軍はツイッターを通して、ロシア軍の位置を特定したり、自軍の移動先を通知したりしている。対してロシア側も、みずからの侵略を正当化するプロパガンダを流し続けている。

「言論の自由を取り戻せ」

異なる意見がぶつかり合うのは、健全な言論空間の証拠である。誰もが表現の自由が保障される環境において、何を発信してもOK。誤った情報を拡散しても、いずれ正しい情報に淘汰《とうた》される。ツイッターは健全な言論空間である――。ユーザーはみな、そう信じて疑わなかった。

ところが、二〇一五年頃から奇妙な現象が起こり始める。保守系の言論アカウントや、漫画・アニメのイラストを投稿するアカウントが次々と、原因不明の凍結に追い込まれたのだ。他方、左翼言論人やフェミニスト系団体、LGBTQのツイートが、フォローしていないのに大量に表示されるようになった。この奇妙な現象は欧米や日本だけでなく、ブラジルやインド、ポルトガルなど各国で報告されている。

極め付きは、トランプ前大統領のアカウント凍結である。二〇二一年一月六日、トランプ前大統領はアメリカ連邦議会襲撃を煽動したという理由で、アカウントを凍結された。だが、実際は興奮した支持者に落ち着くよう呼びかけたもので、決して煽動などしていない。

当時のツイッターでは、中国やロシア、イラン、ミャンマーなど独裁国家の政治関係者や活動家が、虐殺や特定グループへの迫害を呼びかけていた。イスラム国（ISIL）などテロ組織のアカウント、凄惨なテロ犠牲者の写真や動画、児童虐待につながるコンテンツなども放置されていた。**にもかかわらず、トランプ前大統領だけ狙い撃ちされたように凍結されたのだ。**

いま振り返れば、ツイッターが特定の政治勢力に乗っ取られていたことは明らかである。多くのユーザーがツイッターの変化に気づいていた。しかし、それを口に出すと「陰謀論者」「差別主義者」扱いされる。明確な証拠がなかったため、口をつぐまざるを得なかった。

事態が急転したのは二〇二二年十月のイーロン・マスクによるツイッター買収劇からである。マスクがツイッター買収に踏み切った理由の一つに、「言論の自由を取り戻す」というものがある。マスクは特定の政治勢力に牛耳られたツイッターを憂えていたのだ。大胆な改革を断行するため、マスクは早々に経営陣を解雇。そのうえで〝爆弾〟を投下した。「ツイッターファイル」にほかならない。マスクはツイッターの内部情報を十二月から段階的に公開し始めた。

ツイッターファイルの内容は、ツイッターがどれほど言論の自由を侵害していたかというものだ。マスクが直接依頼したジャーナリストによって取りまとめられ、ツイッター上で一般公開されている。公開情報なので、誰でもアクセス可能だ。

その内容は、マスクやキム・ドットコムなどネット界の著名人も参加する公開音声会議「スペース」でも議論されている。「スペース」は誰でも参加することができ、一般ユーザーとマスクが気軽に会話している。透明性が担保された民主主義的な情報公開は、何よりも自由を重んじるマスクの思想が反映されたものだ。

ツイッターファイルはいくつかのシリーズに分かれている。なかでも衝撃を与えたのは、ツイッター社員が恣意的に特定のアカウントを凍結したり、ツイートを他のユーザーに表示しないようにしたり、コンテンツを表示させやすくするかどうかを決めたりしていたことだった。最大のターゲットとされたのが、保守系の政治家や評論家、ジャーナリストである。政府のコロナ対策に異を唱える学者も次々にアカウント停止の憂き目に遭った。

ツイッターには「ポリシー」と呼ばれる、ユーザーが守るべきルールが設けられている。ポリシーに違反するとアカウント停止となるが、ポリシー違反に該当しないユーザーが凍結されるケースも多かった。ツイートを他のユーザーが見られないようにする「シャドウバン」が行われていたことも判明している。ツイッター幹部のビジャヤ・ガッテはかつて、「シャドウバンは一切やっていない」と発言していたが、真っ赤なウソであった。

アカウントの恣意的な操作については、ガッテや前ＣＥＯのプラグ・アグラワル、社の「信頼・安全」を司るヨエル・ロス、創業者のジャック・ドーシーが構成する非公開グループで決定されていた。彼らの会話内容からは、カジュアルな雰囲気で議論が進んでいたことがわかる。大学のサークル幹部が、気に入らない部員を入室禁止にするようなノリだ。

バイデンJr.のスキャンダル隠蔽工作

ツイッターファイル最大の暴露は、ツイッターの言論統制に米国の公的機関が関与していたことだろう。バイデン大統領の息子ハンター・バイデンのスキャンダル隠蔽《いんぺい》工作である。

二〇一九年四月、デラウェア州のコンピュータ修理店オーナーのジョン・ポールは、持ち込まれたマックブックに「ボー・バイデン財団」のステッカーが貼ってあることに気づいた。この財団は、若くして病死したバイデン大統領の長男を記念して創設された団体である。

ポールは最初、マックブックがハンターの所有物だとは知らなかった。修理のためにハードディスクデータのバックアップを取ろうとしたところ、ハンターが麻薬を使用する動画などを目にする。同年十二月にFBIに通報するが、翌年八月になっても返答はなかった。そこでポールは、二〇二〇年十月に共和党のニューヨーク元市長ルドルフ・ジュリアーニにデータを渡したのである。

そのなかには、ハンターが取締役に就任したウクライナのエネルギー企業「ブリスマ」のアドバイザーを父親のバイデン副大統領（当時）に紹介した証拠メールも含まれていた。ウクライナの検察官は当時、ハンターとブリスマの関係、さらにはハンターが手を染める中国ビジネスについて調査していた。バイデン大統領には、その検察官を解雇するよう圧力をかけた疑惑がある。

マックブックのデータには、薬物中毒の噂があったハンターがコカインを使用する様子や、風俗嬢と思しき女性と性行為に及ぶ動画も残されている。

データを受け取ったジュリアーニはタブロイド紙『ニューヨークポスト』に情報を提供。暴露記事が同紙のウェブサイトに掲載された。その直後、FBI特別捜査官であるエルビス・チャンがツイッター幹部ヨエル・ロスに連絡。『ニューヨークポスト』の記事がツイッター上で拡散されないように、システムを操作してくれと要請したのだ。FBIが二〇二二年になってもなお、ツイッターに記事拡散を阻止するよう圧力をかけていたことも判明している。

バイデン側は、ロシアによるアメリカ大統領選への介入があり、バイデン陣営に不利な情報が拡散されていたと説明。二〇二〇年十一月の大統領選を控えるなか、トランプ陣営に肩入れするロシアがハッキングで入手した違法なデータだと主張している。メディアもバイデンの説明をそのまま報じてきた。

しかし、ツイッターファイルにより、それが真っ赤なウソだと発覚した。疑惑の発端はロシアの選挙介入などではなく、ハンターのマックブックを偶然手にした修理店のオーナーによる通報だったことが明らかになったのである。

ツイッターファイルが公開されるまでは、ハンターの疑惑はロシアのでっちあげだと思われていた。疑惑を追及していたのはトランプ前大統領や共和党、保守系メディア、そして『ニューヨーク・ポスト』などのタブロイド紙のみ。その多くは「陰謀論者」のレッテルを貼られた。ツイッターファイル公開によって、ようやく濡れ衣が晴れたのだ。

FBIとツイッターの蜜月

ハンター・バイデンのスキャンダル隠蔽に深く関与していたのが、ジム・ベイカーである。ベイカーはアメリカのインテリジェンス界の大物で、三十年間にわたりCNN、資産管理会社、シンクタンクなどを渡り歩いてきた。

ベイカーは二〇一四年から二〇一八年まで、FBIの最高法務責任者を務め、トランプ前大統領に対する調査でも中心的な役割を果たしている。ベイカーは二〇一八年、メディアにFBI内部のデータを漏らしたことが問題視されて退職に追い込まれた。その後、二〇二二年にツイッターに法務トップとして迎えられる。

ツイッターファイルによれば、ベイカーはツイッター社内において強い影響力を有していたという。ベイカー以外にも、**多くのFBI出身者がツイッターに雇われていたことも判明している。**

実はツイッターファイルの公開が開始されて以降も、ベイカーは雇用されていた。初期のツイッターファイルは、ベイカーが内容を精査したうえで公開されたものだという噂もある。マスクは買収直後、ベイカーがまだ雇用されていたことに気がついていなかった。その後、即解雇したことを発表している。

一連のツイッターとFBIの蜜月ぶりからは、トランプ前大統領のアカウント凍結をはじめとする言論統制の背後で暗躍していた黒幕の正体が透けて見える。ツイッターによる民主党優遇がなければ、二〇二〇年の大統領選は違う結果に終わっていた可能性もゼロではない。

ツイッターファイルの公開は、民主主義の根幹を揺るがす大事件である。にもかかわらず、日本ではNHKも民放も不自然なほど報じない。何か後ろめたいことでもあるのだろうか。

不倫やセクハラは当たり前のイギリス社会

イギリスでは相変わらず、ウクライナ情勢が大変な関心を集めている。戦後最悪のインフレによって、生活が苦しくなっている人が増えているからだ。

とくに燃料の高騰が問題で、二〇二三年には前年の倍以上の価格になってしまった。イギリスは寒冷地なので暖房が必須だが、このままでは冬季に暖房をつけることができず、体調を崩す人が出ているほどだ。

イギリス政府はウクライナ情勢をめぐり、ロシアに強気な態度で臨んでいる。二〇二一年四月にジョンソン首相（当時）がウクライナの首都キーウを訪問すると、ジョンソン政権の支持率は上昇した。

ところが、政権の信頼性を揺るがす「事件」が起きた。保守党の議員が、議会の審議中にスマホでポルノを見ていたのだ。「犯人」は保守党のニール・パリッシュ下院議員。この事件が注目を集めた理由の一つとして、彼の選挙区がデボンというイギリス南西部の農業地帯であることが挙げられる。

この地域は、美しい海岸線と田舎の風景が有名で、「クリームティー」という名物がある。イギリスの伝統的な焼き菓子であるスコーンに、クロテッドクリームという生クリームを低温で煮詰めて濃厚にしたものと、果肉たっぷりのジャムをつける。それと一緒に、美しい茶器でイングリッシュティーを楽しむのである。

ティータイムは緑豊かな牧草地と美しい海岸を眺めながらゆったりと過ごす。イギリスの上品さを絵に描いたような土地なのである。

イギリス国教会の価値観を色濃く残している地域でもあり、日本人が想像する進歩的でリベラルな欧州のイメージとは正反対だ。同性婚に反対する人も多く、婚前交渉や女性が男性よりお金を稼ぐことに反対するような人も少なくない。

そんな地域出身の保守系議員が、ウクライナ情勢をめぐって欧州の未来がどうなるかを真剣に議論している最中に、スマホでポルノを見ていた——。イギリス国民は、そのギャップに驚いたのである。

さらに驚くべきは、イギリス議会の女性議員たちが、こんなことは氷山の一角であり、他の議員はポルノの視聴よりもっと酷いことを国会でやっていると告発し始めたことだ。

例えば、執務室内に女性を連れ込んでいる、女性議員の体を触ったり婚外交渉を要求したりしている……要するに「セクハラ」である。

これまで、こうした「セクハラ」が国会内で大々的に問題視されたことはほとんどない。あまりにも日常的で数が多いので、いちいち事件にするのもバカらしいからだ。そんなことに構っていられるほど政治家は暇ではない。

とはいえ、政治家の「下半身スキャンダル」はたびたび国民の関心事となる。

コロナ対策でジョンソン首相の右腕と言われたマット・ハンコック議員は、自らのオフィスで大学時代からの女友達と不倫行為に勤しんでいたところを監視カメラに撮影され、タブロイド紙『ザ・サン』にすっぱ抜かれてしまった。

コロナ対策で要職に就いていた議員がそんなことをするなんて、しかも感染対策が最も厳しい時期だったにもかかわらず、職場で思い切り「濃厚接触」している……ハンコック議員の事件に、イギリス国民はショックを受けた。

日本には、ここまで堂々と破廉恥な振る舞いをする政治家はいない。不倫するにしてもホテルか、せいぜい議員宿舎だろう。国会内や議員会館で事に及ぶ議員などいない。警備員や事務員、清掃員にばれてしまう。

欧州で最も先進的なはずのイギリスでも、政治家たちは日常的に不倫やセクハラを楽しんでいる。日本人の「欧州幻想」をぶち壊すようだが、これが現実なのだ。

欧州の人々は男女問わず、日本人に比べて道徳やモラルの意識が欠けている場合が多い。セクハラや不倫もかなり多い。長時間労働が当たり前の日本人とは異なり、欧州人は定時で仕事を終わらせる。余った時間とエネルギーを性に費やしているのかもしれない。

これは実際に現地で働いたことがある日本人女性ならよくわかる。他方で、短期出張や在外研究など、一時的に滞在するだけの日本人男性にはわかりづらい。彼らはセクハラの対象ではないからだ。

このような実情があるからこそ、欧州ではセクハラや性差別をめぐるルールづくりに熱心なのだ。いわば「反動」ともいえるのである。

いくらなんでも「非常識」なマイノリティ至上主義

イギリスのテレビCMにはマイノリティが登場する。ファッション広告に起用されるのはアジア系やアフリカ系、ゲイを公言しているモデルが多い。生活必需品や子供用品の宣伝には、ダウン症など障害のある人が登場することも珍しくない。

人種や性的指向、障害の有無だけでなく、年齢（子供から高齢者）、体型（痩せている人から太っている人）に至るまで、なるべく多くの人々をカバーする配慮がなされている。テレビ局やスポンサー企業が多様性を重視しているのだ。

広告用のモデルを派遣するエージェンシーのカタログを見ると、白人はむしろ少なく、有色人種だらけである。アジア系・アフリカ系の家族をまるごとモデルに起用する企業もあるほどだ。資本主義社会において、需要がなければ供給もなされない。それだけ企業がマイノリティを求めているということだ。

モデルたちの見た目も個性的で、美男美女ばかり並ぶ日本のエージェンシーとは様相が異なる。歯並びが悪かったり、そばかすやシミだらけだったり、肥満だったり、痩せていたり、目の色が左右で違ったり、爆発したような髪型だったり……。ただ単に「美しい」というより、個性的であることが重要なようだ。

イギリスのテレビ局はCMだけでなく、番組出演者にも多様な人材を起用するのが当たり前になっている。コロナをはじめとする健康情報はインド系やイスラム教徒、料理はアフリカ系、金融アドバイスもアフリカ系、料理はギリシャ系やイタリア系、ファッションは中国系、スポーツは南米系……。得意分野はさまざまである。

ロンドンやイギリス南部で放送されているBBCやITV、チャンネル4、5などのテレビ局では、ニュースキャスターに白人がほとんどいない。インド、イラン、イラク、そしてアフリカ系。旧植民地の移民一世、二世、三世だらけである。日本のような若い女性キャスターはほぼいない。大半は中年以上である。

クイズ番組の司会者や天気予報の解説者が障害者であることも珍しくない。もちろん、彼らはその道のプロである。例えばイギリスのクイズ番組やドキュメンタリー番組で司会者を務めるワーウィック・デイヴィスは、身長わずか百七センチの小人症だ。『スター・ウォーズ　エピソード６／ジェダイの帰還』で先住民族のイウォーク族を、『ハリー・ポッター』シリーズではゴブリン族のフィリウス・フリットウィック教授を演じた。演技も司会も一流なのだ。

子供番組には片腕がない、車椅子に乗ったプレゼンターが登場する。ＢＢＣの政治報道で有名なジャーナリストには、視覚障害がある人や、戦争報道で負傷して車椅子生活になった人も登場する。ＢＢＣで最も人気があるトークショーの司会はゲイであり、レズビアンの大人気スポーツ解説者もいる。

そんななか、「常識のためのキャンペーン」という団体のレポートが発表された。ＢＢＣに出演するマイノリティの割合が現実と違いすぎて、それがイギリスの番組だと認識できないと指摘するレポートである。テレビ局やスポンサー企業がマイノリティに気を遣うあまり、白人や異性愛のカップルがほとんど登場しない番組や広告が増え、かえって不自然な内容となっていると不満を漏らす人は多い。

「常識のためのキャンペーン」のレポートが出された数週間後、世論調査会社ＹｏｕＧｏｖの調査が話題となった。四五％のイギリス人が、マスコミにおける人種的マイノリティの比率が多すぎると回答している。少なすぎると答えたのは二六％。四四％のイギリス人が、ＬＧＢＴはテレビ画面で大きな比率を占めすぎているとも答えている。

主要ブランド五百社のマーケティング部門は二〇一七年、「認識された差別を防止するために」多様性を推進することに注力したと述べている。差別防止を目的として、白人と異性愛のカップルのイメージを使うことを避けたと認めた企業もある。世論調査で浮き彫りになった過剰なマイノリティ配慮への違和感を裏付けている。

日本では、東京都渋谷区に設置された公衆トイレが話題となった。性別や障害の有無を問わない「誰でもトイレ」が二つ、そして「男性用トイレ」が一つ。女性用トイレがないことに、女性の間では不安が広がっている。常識的に考えて違和感を禁じ得ない。マイノリティ配慮に気をとられるあまり、社会の混乱を招くようでは本末転倒である。

トランスジェンダーに抵抗して立ち上がった英国女性

最近、北米や欧州ではLGBTQをめぐる大問題が起きている。日本でも話題となっているトランスジェンダーの性自認である。

トランスジェンダーは自分の生物的な身体に違和感を覚え、異なる性別になることを希望する人が多い。性別適合手術を受ける人もいれば、手術を受けずにそのままの人もいる。最近の北米や欧州の潮流は、そのような人々が「自称」する性を尊重したうえで、社会生活や法的権利なども認めていくべきだという方向である。

しかし、そういった風潮に待ったをかける声も上がっている。興味深いのは、最も反対している人々が女性たちだということだ。そこに保守・リベラルというイデオロギーは関与しない。「外見は男性、心は女性」と自己申告すれば、それまで女性だけしか立ち入れなかった空間に入ることができる。そのことに強烈な違和感を示しているのだ。

その違和感は個人的なものを超えて、社会運動にまで発展している。女性の権利を主張するデモや演説会などのキャンペーンが展開され、「女性の権利を守るために性自認を認めるべきではない」という主張が繰り返されているのだ。女性だけが使用できるスパやサウナ、更衣室、トイレ、美容院、授乳室、助産院……こうしたプライベートな空間に「自称女性」が入ってくる権利を認めるべきではないということである。

北米や欧州はこの問題について、日本よりはるかに複雑な事情を抱えている。イスラム教をはじめとして、宗教的に男女が生活する場所を分けるという考え方の人々が少なくないからだ。北米や欧州では宗教的なニーズに応えるため、病院で女性医師を選べたり、女性だけが使用できるジムがあったり、プールでは女性だけが使える時間帯が区切ってあったりすることも珍しくない。

このような「区別」は、特定の宗教を信じる人たちだけでなく、女性だけでのんびりプライベートな時間を過ごしたいと願う無宗教の女性にも好評を得ている。特にジムやプールは、若い男性がいると運動しにくいと感じる中年以上の女性も多い。私も運動中の姿が無様なので、男性がいると遠慮してしまう。

家庭に派遣されるヘルパーや美容師、ネイリスト、マッサージ師だけでなく、大工さんや電気工事士、庭師、清掃員も女性を指定することができる。昼間は女性が一人だけという家庭も多く、不特定多数の男性を家の中に入れることに不安を感じる人も多い。女性を指定して派遣してもらえれば安心なのだ。

私は実際、トランスジェンダーで女性となった元男性が、女性用のトイレを使わせてほしいと主張する場に居合わせたことがある。もともと外見が地味な男性だった人が突如、ホルモン治療を開始してハイヒールとタイトスカートで会社への出勤を始めた。この人は既婚者で子供が三人いる。しかし、離婚はしておらず、性的には女性の方が好き。なんとも複雑だが、女性として女性を愛したいのだという。

「日本は多様性に不寛容」などと指摘されることもあるが、イギリス社会はLGBTQへの拒否感が強い。

キリスト教国のイギリスでは、もともと同性愛は犯罪だった。いまだに同性愛者への抵抗感を覚える人々は多く、明確に男女の性差をつけるのが当たり前である。先述したトランスジェンダーの元男性が女性用トイレを使うことには、女性の大半が猛反対。結局、**彼は障害者用のトイレを使うことになった。**

トランスジェンダーと女性の対立は激しくなっている。ニュージーランドでは、女性の権利を訴える活動家がスピーチをしていたところに、暴力的なトランスジェンダーの元男性たちが突撃。乱闘騒ぎが起きたケースもある。運動に参加していた女性たちの中にはお年寄りもいた。

この騒ぎを起こしたトランスジェンダーの元男性たちは女性を自称しているが、少なくとも見た目は完全に男性である。ラグビー選手並みに屈強で体が大きく、女性たちを跳ね飛ばしながらフェンスを乗り越え、物を投げたり水を掛けたりする暴力を振るい、警官隊が出動するハメになった。

「まったく女性らしくない女性」が「女性としての権利」を主張するというよくわからない状況になっているのだ。日本も「性の多様性」を強調しすぎるあまり、「女性の権利」が侵害されるようでは元も子もない。社会に混乱を招きかねない急進的な政策には慎重であるべきだ。

「男尊女卑インフルエンサー」が大人気

アンドリュー・テート氏の逮捕が欧米で話題となった。テート氏の存在は日本ではさほど知られておらず、今回の逮捕を報じるメディアもなかった。しかし、彼は世界的な超大物インフルエンサー。中国系SNSアプリ「TikTok」で最も人気がある彼の動画は、百億回以上も視聴されている。

TikTokユーザーの中心は子供や若者である。どの国でも若い世代は、ジェンダーやLGBTQ、動物愛護、環境保護などに関心があり、意識が高めのイメージがある。ところが、テート氏は真逆のキャラクターで人気を博している。

テート氏はアメリカ生まれで、アフリカ系の父親と白人の母親を持つ。両親の離婚を機に引っ越したイギリスで幼少時代を過ごした。キックボクサーとなり、四回にわたり世界チャンピオンに輝いた経歴もある。

その後、独自のキャラクターによりＴｉｋＴｏｋやインスタグラム、ユーチューブなどで有名になった。昨年のグーグルにおけるワード検索ランキングでは、テート氏の名前が「コロナウイルス」「トランプ大統領」を上回っている。

彼が投稿する動画の内容は、一言でいうと「男尊女卑」。男性至上主義と女性嫌悪が込められたメッセージを堂々と発信している。「女は男の所有物」「女は怠惰」「自立した女などいない」「女は家にいればいい」「女は運転が下手」などと、女性蔑視を隠そうともしないのだ。

テート氏からすれば、強姦の被害者は「自己責任」で片づけられる。女性に浮気を疑われるようなことがあれば、「首根っこ摑んで顔をブン殴ってやる。ボコボコにするんだ。持ち物も部屋もメチャクチャにしてやるのさ。ナタを持って脅《おど》してやるんだぜ！」。常人なら言うのが憚《はばか》られるようなことを、マジメな顔で語っている。

テート氏はスポーツカーを乗り回したり、銃を片手に鍛え上げられた筋骨隆々の身体を見せつけたりする。とにかく「マッチョ」なのだ。

強烈なメッセージを彼はＴｉｋＴｏｋをはじめとするＳＮＳを通じて発信し続けている。なかでも特に反響が大きいものや物議を醸したものを切り取った短い動画を、自分のフォロワーに拡散させている。それを繰り返すことで、雪だるま式にフォロワーを増やしていった。

テート氏の人気コンテンツの一つに、「女を落として金を儲けるコツ」というものがある。彼は「ハスラー大学」という会員制サロンをつくり、そのノウハウを授業形式で会員に教えるというサービスも行っている。月額六千円という安くない会費にもかかわらず、ピーク時には会員が十三万人以上。ＴｉｋＴｏｋの広告収入と合わせると、とんでもない額を大儲けしていたことになる。

非常に興味深いのが、テート氏のような「スーパーミソジニスト」（女性嫌悪）が欧米で人気者となっている点である。日本人の多くが、欧米の男性は女性に優しい「ジェントルマン」だと考えている。マスコミが垂れ流すフェイクニュースの影響もあり、欧米が男女平等という時代の先端を走っているかのような思い込みがある。しかし、実はそんなことはない。

テート氏の人気が示すように、**北米や欧州には女性を見下す男性が多く、女性への暴力も日本とは比較にならないほど多い。**男女差別が激しい社会だからこそ、その反動として過激なジェンダー平等論やフェミニズムが登場しているだけの話だ。

テート氏は二〇二二年十二月、環境活動家のグレタ・トゥーンベリ氏にケンカを売った。「オレが乗っているスーパーカーのCO_2排出量を教えたいから、お前のメールアドレスを教えろ」とツイート。CO_2削減を訴えるグレタ氏を煽《あお》ったのだ。グレタ氏の返答は「smalld***energy@getalife.com」。これは「短小チンポ野郎」というメッセージを込めた架空のアドレスである。グレタ氏の皮肉めいた返信は、ツイッター史上最多の「いいね」を集めた。

その直後、テート氏はルーマニアで逮捕される。グレタ氏とのやり取りで添付した画像に映る宅配ピザの箱から、滞在先が現地警察にバレてしまったのだ。容疑は人身売買。複数の女性を騙して性的サービスを行わせていたとの嫌疑をかけられ、ルーマニアに潜伏していたのである。

ネットバトルにおいてはグレタ氏が一枚上手だったようだ。

左派系コメディアンが演じる「ロック魂を取り戻せ！」

コロナ禍が落ち着いて、イギリスは徐々に普通の暮らしを取り戻した。とはいえ、エネルギー価格や物価の高騰、度重なるストライキなどの問題はあるのだが。

アフター・コロナにおいて、イベントや劇場の復活が著しい。閑散としていたロンドンの街にも人々が集まった。庶民生活は苦しいといわれているが、そんななかでも劇場街には国内外から大勢が押し寄せたのだ。

わが家も行動制限が解除されてから、これまで外出できなかった分を取り戻すかのごとく様々な演劇やミュージカル、演奏会に出かけた。子供は小学校低学年になったので、演劇やミュージカルの内容を理解できる。上演中もじっと座って観ることができている。

先日は、久々に復活したミュージカル「We Will Rock You」を観にいった。この作品は、イギリスを代表するロックバンド、クイーンの代表曲を題材にしたものである。タイトルは、一九七七年にアルバム『News of the World』で発表した曲「We Will Rock You」からとられている。ロンドンでは二〇〇二年から二〇一二年まで上演され、大ヒットとなった。

ストーリーはドイツ系ユダヤ人コメディアンのベン・エルトンが執筆した話が元になっている。

一九八〇年代に人気を博した、若者を風刺する「The Young Ones」や、ミスター・ビーンを演じたローワン・アトキンソンが出演していた「Blackadder」という歴史風刺のシットコム（お笑いドラマ）、そしてどうしようもない警察署が舞台の「The Thin Blue Line」。ベン・エルトンはこれらの作品でも有名である。

エルトンの父親は物理学研究者で、ナチスのホロコーストを生き延びたユダヤ人。母は教員、いとこはイギリスを代表する歴史研究者である。

エルトンはもともと政治的には左翼である。熱心な労働党支持者として知られ、長年にわたり保守党を風刺してきたことで有名である。ところが近年、エルトンはイギリス労働党に厳しい批判を浴びせているのだ。

ここ数年、イギリスの労働党は岩盤支持層だった労働者階級や福祉国家を重視する中道の人々を無視するような政策提言を行っている。とくに前党首であるコービンは反ユダヤ的な発言を繰り返し、重要な支持母体であったユダヤ人の支持を大幅に失った。

エルトンいわく、福祉国家を目指していた労働党は、いつのまにかスターリン主義が支配する過激な政党になっている。イギリス労働党は環境保護やLGBTQ、キャンセルカルチャーに熱心なあまり、一般国民の生活に興味を失ってしまったのだ。

伝統的な左派であるエルトンのような芸能人でさえ、労働党には呆れている。イギリスだけではなく、他の先進国にもみられる状況である。もともと伝統的な福祉国家を目指していたリベラル政党や左派政党が、なぜか急速に過激化する傾向が目立つ。置き去りにされているのは、非正規雇用の労働者や高齢者などである。

アメリカもまったく同じ現象が起きている。民主党は三十三万人にも及ぶ不法滞在者を恩赦し、正式に滞在を認めたが、これに対しては伝統的な民主党支持者のなかにも不快感を示す人々が少なくない。

ポートランドやサンフランシスコなど民主党が強い州は警察官の人数をどんどん削り、治安が悪化している。窃盗や強盗などの犯罪を取り締まらない地域も出てきているのだ。

アフリカ系の人権運動を標榜したBLM（ブラック・ライブズ・マター）のデモはコロナ禍において、なぜか免責されていた。警官に対する攻撃や破壊活動もスルーであった。政治的正しさ（ポリティカル・コレクトネス）が過激化する代わりに、一般の人々の生活が犠牲になっている。

エルトンのような演劇人の政治的転向は、イギリスに限ったことではない。かつて左派といわれていた人々が過激な人々によって右翼呼ばわりされるようになっている。「We Will Rock You」は、そのような現状への不満を反映する内容となっていた。急速に左傾化する若者に対して、熟年の人々が「ロック魂を取り戻せ！　ポリコレなんてぶっ壊せ。ベジタリアン？　アボカド？　バカらしいだろ！」と呼びかけ、ロックを世界に引き戻すという壮大な物語だった。

日本でも日本人キャストで上演されたこともあるが、ぜひともオリジナルのキャストで観てほしい作品である。

第三章

内気な大国ニッポン

「非白人圏のリーダー」日本の役割

ウクライナのゼレンスキー大統領が日本の国会でオンライン演説を行った（二〇二二年三月二十三日）。その内容は多くの人々の予想を良い意味で裏切るものであり、抑制が利き、日本人の心に訴えかける落ち着いたものだった。

ウクライナの避難民の人々の苦難を、原発事故により故郷を失った日本の東北の人々に重ねた。広島と長崎の原爆、原発事故による汚染のことを日本人はよく知っていることにも触れている。ほかには日本の環境保護意識が高く、技術も大変高いこと、日本人は破壊ではなく、復興が得意であることに言及した。

日本の昔話がウクライナで出版されていることも指摘された。それは、日本でウクライナの童話「てぶくろ」がロングセラーであることにつながる。

日本人とウクライナ人の心情には何か通じる部分があると感じた人も多かったのではないだろうか。

日本ではほとんど指摘されていなかったが、ゼレンスキー大統領による演説が、フランスよりも早く日本で行われたことの重要性に気がつくべきだ。

経済大国である中国は、二〇二三年末時点では全く無視されている。南米、中東、アフリカでも同じだ。あの中国を称賛する声は一体どこに行ってしまったのだろうか。

中国とは対照的に、日本はアジアを代表するリーダーとして世界に認められている。

それはアジアだけではなく「非白人圏のリーダー」として、自由主義社会を守る国際的な役割を日本は期待されているということにほかならない。


日本の役割は日本人が思う以上に重く、期待値が高い。


ロシアによるこれ以上の蛮行を止めるのに、軍事、経済、技術、復興の点で日本の力が強く求められている。単に経済制裁だけすればいいというわけではないのだ。

演説のポイントとして、日本に対する非難が全くなかったことが挙げられる。これは演説の内容が非難だらけだったドイツとは様相が異なる。

第二次世界大戦時、同盟を結んでいた日本とドイツではあったが、ゼレンスキー大統領の両国への認識は違うようだ。日本はドイツと異なり、エネルギー政策の面で化石燃料を使っていても、その高い技術力で効率化を進め、現実に向き合って原発を維持してきた点を評価したものであるといえよう。日本の火力発電所の効率は世界一と言われている。

日本のリサイクル技術や再生可能エネルギーの技術も世界トップクラスである。アイスランドの地熱発電には日本の技術が使われている。ペットボトルや金属のリサイクル率も世界トップクラスで、欧州の国々をしのいでいる。トヨタのハイブリッド車の技術を、欧州のメーカーは真似できない。

ディーゼルエンジンを発電にも使うコージェネレーションシステム（熱源から電力と熱を生産し供給するシステムの総称。以下、コジェネ）は三十年以上前から商業施設で使われており、私の父は一時期、技術開発に関わっていた。そんな昔からコジェネを幅広く活用してきたのは日本ぐらいのものだ。さらに五十年以上前から欧州の厳しい排ガス規制の基準を乗り越えてきた。

資源の少なさを技術革新でカバーしてきたのが日本である。知恵と努力の国だ。度重なる災害も、原爆や空襲による破壊も乗り越えた。そんな国は、非白人圏では日本だけなのだ。

ドイツは経済を重視するあまり、価格的に手頃なロシアの天然ガスや原油をどんどん輸入し、依存度を高めてきた。ドイツは安いエネルギーを使って工業生産を行い、ユーロ圏における為替の有利さの恩恵を受けて、近隣国に自国の製品を売りつけて儲けてきた。ロシアの増長はドイツが金をバラまいてきたことも原因の一つである。**ドイツの自己中心的な態度がウクライナの人々を死に追いやったとも言える。**

そんなドイツは、欧州各国から恨みを買っている。だからこそ、経済的な合理性だけを追求しなかった日本は、ゼレンスキー大統領からの批判を免《まぬが》れることができたわけだ。

非白人圏の国で、民主主義国家であり、自由主義の国として国際的に認められているのは日本だけなのだ。復興のノウハウや最先端技術への期待も大きい。

この重みを理解し、民主主義を踏みにじるロシアに対して、日本はどのような態度をとるべきか、今一度よく考えなければならない。

日台分断を狙った中国発のフェイクニュース

「日本から送られたワクチンを接種して、すでに三百人以上が死亡した。この件について国会で調査チームを立ち上げて調べるべきだ」

二〇二一年七月の初め、台湾のテレビ討論番組に出演した最大野党、中国国民党の立法委員（国会議員）、費鴻泰《りこうたい》氏がこのように語ると、司会者が慌てて割って入り「死亡原因とワクチン接種との関連は証明できていない」と付け加えた。ワクチン接種はリスクよりも有効性のほうが大きいことはすでに科学的に証明されており、費氏の発言によって一般民衆の間でワクチンへの不信感が高まり、接種を拒否する人が増えることを司会者が懸念したようだ。

日本政府は同年六月四日と七月八日の二度にわたり、計二百三十七万回分のアストラゼネカ製ワクチンを台湾に無償提供した。これは、中国の妨害などによってワクチン確保に苦慮していた台湾にとって「恵みの雨」となり、台湾社会全体が日本への感謝であふれていた。約百三十社の台湾の企業や団体が産経新聞に「まさかの時の友こそ真の友」との感謝広告を掲載したほどだ。

しかし、こうした日台接近を苦々しく思っている人たちがいる。コロナ禍を利用して台湾への影響力拡大を目指す中国と、台湾の親中派といわれる野党、国民党の関係者たちだ。台湾に中国製ワクチンを買わせることが彼らの狙いだったが、日本のワクチン提供によってその目論見がご破算になってしまったわけだ。

中国外務省の報道官は定例記者会見で、日本による台湾へのワクチン支援についての感想を聞かれた際「ワクチンは人命救助のために使われるべきで、政治的利益のための手段に成り下がってはならない」と露骨に不快感を示した。同時に、台湾の親中派たちも様々な場面で「日本人は自分たちが使わないワクチンを台湾に押し付けた」「日本から来たのは毒ワクチンだ」などと不安を煽り続けた。

費氏のほか、アストラゼネカ製ワクチン批判の急先鋒となったのは、国民党系シンクタンク、国家基本研究基金会の副董事長の連勝文《れんしょうぶん》氏だ。メディアの取材などに対し「同ワクチンの安全性と有効性に疑問がある」などと強調し続けた。しかしその後、連氏の両親、国民党の重鎮で、元副総統の連戦夫婦が密かにアストラゼネカ製ワクチンを接種したことが明らかになると、連勝文氏は急に沈黙した。

台湾メディアによれば、日本が台湾に送ったワクチンの接種が七十五歳の高齢者などを対象に六月中旬から始まると、確かに、それから数日以内に死亡した人は、約一カ月で三百人以上に上った。しかし、そのほとんどは糖尿病、高血圧、心臓病といった基礎疾患のある人で、人工透析を受けていた人もいた。食べ物をのどに詰まらせた人や、足を滑らせて風呂場で溺死したケースも含まれているという。

二〇二〇年の台湾で、七十五歳以上の高齢者で亡くなった人は一日平均二百六十人を数える。今回、数十万人の七十五歳以上の高齢者が一斉に接種したため、その中で一部の高齢者が死亡しても特別な出来事ではないと専門家たちは説明している。台湾大学附属病院の医師で、ワクチンの専門家である李《り》秉《へい》穎《えい》氏によれば、ワクチンを接種した高齢者グループと接種しなかった高齢者グループを比べて、接種によって死亡率が上昇したことは確認できなかった。

中国による対台湾工作を研究するＮＧＯ団体の研究者は、「台湾の親中派たちが言っていることは、一部は事実であるため、否定することは難しい。ワクチンに対する一般民衆の不安をあおる効果は抜群だ」と指摘した。これらの情報の出どころを検証すれば、ほとんど中国発であることがわかるという。「台湾の民衆に政府と民主主義への信頼を失わせることが中国の狙いだ」とも言っている。

実は、こうした中国発のフェイクニュースは日本にも浸透している。日本が台湾にワクチンを送った直後、日本の一部メディアに「台湾人はアストラゼネカ製ワクチンをまったく歓迎していない」「日本が送ったワクチンによって台湾人が大量に死亡した」「台湾政府はアストラゼネカ製ワクチンの接種中止を検討している」といった内容の記事が掲載され、インターネットを通じて拡散した。これらの記事を見た親台派の自民党国会議員が不安になり、外交ルートを通じて台湾当局にその真偽を確認したほどだという。

こうしたニュースの出どころも同じく中国とみられ、日本によるワクチン継続提供を阻止する狙いがあったと台湾の専門家は見ている。

実は日本ほど人種的にオープンな国は希有である

さまざまなスキャンダルやコロナ蔓延という困難を乗り越えて、東京五輪が開催された。コロナで世界が意気消沈するなかで開催された五輪であったが、無観客にしたり、選手や関係者を隔離するバブル方式を採用したり、できる限りの対策を講じて何とか開催することができた。そんな日本の努力に対して、海外からは称賛の声が上がった。

二〇二〇年以来、他国ではコロナ禍による莫大な数の犠牲者が出ているにもかかわらず、日本は感染者数も死者数もケタ違いに少ない。政府が強権を発動しなくても、感染拡大を防ぐために多くの人が地道に努力していることが大きい。

日本は東京五輪で、二十七個の金メダルを獲得した。メダルラッシュのなか、特に目立ったのは外国にルーツを持つ選手が大活躍したことだ。

開会式で日本代表選手団の旗手を務めたバスケットボールの八村塁選手は、母親が日本人で父親が西アフリカのベナン人。外国人が八村選手を見ても、日本人の血が入っているとは気づかないことが多い。しかし、中身は純然たる日本男子である。

柔道で金メダルを獲得したウルフ・アロン選手も父親がアメリカ人だが、東京の葛飾区出身で、昔ながらの凛とした柔道を追求する。それ以外にも、テニスの大坂なおみ選手をはじめ、日本には、海外にルーツを持つトップアスリートが多い。

日本は先進国のなかで、外国人の比率は最低レベルだ。日本以外のアジア諸国は、日本よりもはるかに人種的に多様である。ところが、中国や韓国、東南アジアや南アジアはスポーツの世界における多様性が日本ほどない。

日本は同質的な社会で不寛容だなどといわれるが、それはウソで実にオープンであることがわかる。大和魂=日本らしさを理解して尊重する人に対しては、血や見た目にこだわることなく大らかに受け入れるのだ。

神武天皇の「八紘一宇《はっこういちう》」というのは、天地四方八方の果てに至るまで、地球上に生存する全ての民族が一軒の家に住むように仲良く暮らすことを意味している。今の日本は、この世界平和の理想を見事に実践している。

日本の保守層が、多様なルーツを持ったアスリートを攻撃するようなことはない。思い通りの成績を残せない選手にも「よく頑張った」と健闘を讃える。他国では考えられないことだ。しかし、日本という国の性質を考えると、これは驚くべきことではないのかもしれない。

日本は島国で、昔から外部から人々や文化を受け入れて発展してきた。さらっと書くと何でもないように思われるが、世界的に見ると特殊な歴史である。

ふつうは異なる民族や文化を持った人間が侵入してくると、紛争が起きたり抹殺されたりするのが当たり前。欧州の歴史を振り返っても、侵略、抹殺、戦乱の繰り返しである。イギリスとフランスは百年以上も血みどろの戦争を続けたことがあるし、ユダヤ人は各地で虐殺された。

対照的に、日本は古代に到来したロシア系、東南アジア系、渡来人、南蛮人の文化を受け入れながら、欧州のような激しい弾圧や戦乱は起こらなかった。戦後はアメリカ文化をすんなりと取り入れることに成功した。

新しもの好きで柔軟な国民性がなせる業である。悪く言えば「節操がない」となるが、要するに非常にゆるい国なのである。「家族」の概念や性的な慣習、儀式、食文化、言葉という点で、日本は文化人類学的には温暖でおおらかな太平洋諸島に近い部分がある。侵略や抹殺が繰り返される大陸文化のロシアや中国、韓国とは大きく異なる。

地元や組織のしきたりや言葉を受け入れる人は、コミュニティの一員として迎える。血や見た目はあまり重要ではないのだ。だから八村塁選手や大阪なおみ選手、テレビ朝日『タモリ倶楽部』などでサブカルネタを披露するメガデスの元ギタリスト、マーティ・フリードマンさんが大歓迎されるのである。

日本は昭和世代が引退し、平成以後に生まれた世代が社会の中心になりはじめている。東京五輪で活躍した選手たちのように、新たな世代が日本精神を受け継ぎつつ、和魂洋才のハイブリッドな日本人として新たな日本をつくり上げてくれるだろう。

東京五輪を見ていて、日本の将来を心配する必要はないと確信した。

外国人旅行客に日本を〝安売り〟してはいけない

二〇二三年の夏は息子とともに日本で過ごした。コロナ禍が完全終了したためか、二〇二二年と比べて、外国人旅行者が激増しているのを感じた。

お台場の「ガンダムベース東京」が印象的だった。息子がガンダムのプラモデル（ガンプラ）を欲しがったから訪れたが、客の八割ほどがアジア系の外国人であった。

フジテレビの社屋ができた頃、お台場は観光スポットとして人気だった。しかし、今では日本人がわざわざ行くところではなくなっている。ところが、外国人向けのガイドブックには「東京で最もヒップ（流行）な場所の一つ」と紹介されていることもあり、大人気なのである。

ガンダム目当ての人々だけでなく、ショッピングモールに設けられたガチャガチャを楽しんだり、安売りの靴や服を買ったりしているアジア系やアメリカ人、欧州の人々を大量に見かけた。とにもかくにも、インバウンドがコロナ禍以前の水準まで戻りつつあることは確かだ。

外国人はなぜ、日本にやって来るのだろうか。食べ物がおいしく、歴史的な建造物や文化財が多い。人々も礼儀正しく親切だ。しかし、最大の理由は別にある。それは「安い」からだ。数年前ならバンコクやバリ島に行っていた人たちが、「物価が安いから」という理由で日本を選んでいるのである。欧州や北米からの航空券は、決して安くはない。それでも、日本のホテルや飲食店、買い物代があまりに安いから、高い航空チケットを買っても、十分お釣りがくるのだ。

日本の飲食店の料金は、欧米先進国の半分から三分の一である。激安チェーン店に行っても、店員の接客は海外の高級ホテル並み。タクシーもバスも電車も半額以下だが、ホスピタリティは抜群。公共交通機関がストライキで運休することはない。遅延も車両の故障もほとんどない。

それでいて治安がいい。東南アジアのリゾート地と比べても、犯罪やひったくり、ぼったくりに遭う確率はゼロに近い。筆者はネパールや中央アジアをずいぶん訪れたが、どこもけっこうな犯罪が蔓延している。気を抜く暇もない。日本は夢の国なのである。

そんな〝お得な日本〟にやってくる外国人は、日本の文化にさほど興味があるわけではない。誰でも知っている、わかりやすいものにしか興味がない人々が多いのだ。

例えば、富士山。彼らの脳内では、いまだに日本＝フジヤマ・ゲイシャなのだ。せっかくだから、世界遺産の富士山を見て、ついでに登ろうとする。ところが知識が浅いので、ビーチサンダルや短パンで登山できると勘違いしている者もいる。ゴミをポイ捨てするマナーの悪い観光客も増えた。

かつては、日本の文化に触れたくて来日する観光客が多かった。ところが、「安いから」という理由で来日する連中にはリスペクトがない。

タチが悪いのは、こういった〝底が浅い外国人〟に限って、カネを持っていることだ。要するに成金である。競い合うように金持ち自慢をする彼らは、「インスタ映え」する写真を撮影してSNSに投稿する。

日本旅行で最も映える写真の一つが富士登山なのだ。目的は自慢するための写真を撮ることであり、真剣にクライミングするつもりなどない。実にナメた態度で富士山に登り、数々のトラブルを引き起こす。

裏を返せば、彼らの自慢魂は日本にとって〝金のなる木〟ともいえる。しかし、奥ゆかしい日本人は、自国の素晴らしい商品やサービスを宣伝するのが下手で、値付けも上手くない。需要が高い商品やサービスには、高額な値段をつけて売りまくればいい。成金の外国人は、お金を使うこと自体が自慢だから、高ければ高いほど喜ぶ。

富士登山でいえば、日本国籍や永住権を持っていない外国人にはガイド付きのツアー登山のみ許可。ツアー料金として一人あたり二十万円を徴収しても罰は当たらない。他国と比べても、さほど違和感のない値段だ。富士山の価値を考えれば、むしろ安い。ネパールやスイスなどの観光地は、あらゆるサービスが高価だが、外国人は喜んで払っている。

外国人から徴収した費用は、登山道やトイレ、宿泊施設などの整備に充てればいい。満足度も上がり、リピート客は増えるだろう。外国人は安くて質の低い体験より、高くても質の高い体験を求めているのだ。

日本には素晴らしい自然や文化がたくさんある。それを安売りするのはもったいない。

石原慎太郎は政治家である前に芸術家であった

石原慎太郎氏が逝去して、もうすぐ二年になる。自分も神奈川県出身という縁もあり、石原氏の訃報は地元の著名人が亡くなったという意味でも、とても寂しい。そして、また昭和という時代が遠くなったなという感慨を覚える。

石原氏は令和の時代にあって、昭和の日本の男性のある側面を代表しているような感じがあった。

厳しいことを言い、ぶっきらぼうな態度の一方で、実は面倒見が良い親分肌。家庭では子供に優しく、しかし色気も忘れず。

時にはハメを外し、ちょっと横道にそれてみたりすることもある。仕事はダイナミックにこなすが、多少、失敗することもある。しかし、それでめげるわけでもない。

海や山など自然の中で豪快に遊びつくし、年を経ても野山を駆け巡る少年のようである。サービス精神豊富なので、ついつい口が滑る。

今の若い男性ほど、しなやかではなく、洗練されてもいないが、ちょっと不器用で、しかし様々な方面に気を使い、根回しが上手で、驚くほど繊細な心を持った男性。家族や若い世代を遠くから見守る。苦境にあっても常にやせ我慢してマッチョなふりをする。昭和の時代にはそんな男性が結構いたのではないか。

石原氏は政治家である前に、芸術家であり、作家であった。

氏の政策には政治というよりも、芸術を感じることが多々あった。

東京都のディーゼル車規制やオリンピック、尖閣諸島購入計画も政治的な計算というよりも、美である。

単刀直入で、時には暴論ともとられる発言も、外交的な政治家のものではない。狡猾《こうかつ》な政治家であれば、もっとまことしやかに語るはずだ。オバマやカナダのトルドーがその典型。

石原氏の発言は誰にでもわかりやすく、言葉がリズミカルで韻を踏んでいることがあった。純文学の難解さとは正反対である。

これが単なる純文学畑の作家であれば、大衆や読者など最初からバカにしているので、わざとわかりにくく書く。左翼作家や学者が、やたらと難解な文章を書く理由がそれだ。ところが、石原氏は違う。豊富な語彙《ごい》を持ち、難解な表現をしようと思えばできるにもかかわらず、意図的にマスコミが見出しにしやすい言葉を選ぶ。誰が喜ぶか、誰に向けるべきものか、よく知っていたので、表現は極力単純にし、わかりやすくしていたのだ。さらにテレビや雑誌で働く人間がネタを得やすいよう配慮もしていた。その点からいっても、実は結構良い人であることがわかる（マスコミの中で働いたことがある人間なら、そのありがたさがよくわかるのだ）。

その点で、言葉の感覚は純文学作家というよりも、ツイッターでバズるインフルエンサーやラッパー、ヘヴィメタルバンド、コピーライターに近い。何を言ったら大衆が驚くか、喜ぶか、石原氏は知悉《ちしつ》していた。読者や聴衆のことをよく考えた親切な人なのである。弟の裕次郎氏が大スターになったのも、慎太郎氏のプロデュース力があったからこそだ。デビュー作『太陽の季節』も当時としてはセンセーショナルで強烈なエネルギーに満ちていた。当時の読者が何を求めていたのか、よく見極めていたのだ。

その点で石原氏は、大衆と一線を引く堅物の純文学作家や、単なる富裕層とは違う、庶民目線を持った優秀なマーケターだったとも言えよう。住居の一つが逗子にあった点も注目すべきだ。逗子は庶民的な地域でもある。

石原氏は安全保障や中国に対する発言のせいで、日本や近隣諸国では極右と呼ばれていた。しかし、**石原氏の発言は欧州の感覚からすると驚くようなものではなく、どちらかといえば、中道左派やリベラル系の人々がよくする発言であった。**

例えば、どこの国も自国の防衛を増強するのは当たり前である。仮に欧州諸国で尖閣諸島問題に類似することがあったら、先制攻撃を仕掛ける。

さらに石原氏は北朝鮮から飛んでくるミサイルを迎撃するべきだと主張していたが、これも欧州の感覚ではごく当然で、欧州の人々は日本の自衛隊が迎撃システムを使用しないことに驚いている。

石原氏には実は庶民目線があり、そして日本の外では当たり前のことを、ごく当たり前に日本の人々に伝えていたという点で希少な政治家であった。そして、私個人としては「作家・石原慎太郎」にもっと光を当ててほしいなと思う次第である。

上野千鶴子「おひとりさま詐欺」の薄っぺらな言い訳

ちょっと前の話だが、「週刊文春」が「〝おひとりさまの教祖〟上野千鶴子が入籍してい た」と報じる記事を掲載した。上野氏は歴史学者の色川大吉氏と不倫の末、前妻が亡くなったあとに入籍していたというのだ。

上野氏といえば、日本を代表するフェミニスト学者である。一九八〇年代から二〇〇〇年代までの左派論壇を牽引してきた彼女は長年にわたり、独身女性のアイドルであり続けた。著書の『おひとりさま』シリーズはベストセラーとなり、キャリアウーマンから専業主婦まで、女性に絶大な支持を得ている。そんな上野氏は生涯独身を貫くだろう——。そう思い込んでいた彼女のファンは「結婚報道」に開いた口が塞がらなかったはずだ。

上野氏は「文春砲」を受け、『婦人公論』で反論を展開した。

「わたしはおひとりさまの教祖などではない。おひとりさま教などというものを発案したことも広めたこともない」

本人にその気がなくても、世間では「おひとりさまの教祖」と認識されている。さんざん「おひとりさま」をネタに本を書いてきたのに、何を今さら。自信を持って堂々と教祖を名乗ればいいではないか。

世の中には一人で生活している人が大勢いるのだから、何も恥じることはない。上野氏が付き合っていた「彼氏」の色川大吉氏もその一人である。色川氏は妻に先立たれてから、家族との交流もほとんどなく、八ヶ岳で「おひとりさま」生活を送っていたという。

とはいえ、色川氏は必ずしも孤独というわけではなかった。色川邸と同じ敷地に上野氏の「仕事場」があったからだ。上野氏は愛車のBMWを駆って、東京から八ヶ岳の「仕事場」に通っていた。

色川氏は晩年、体調を崩して要介護状態だったという。家族とも疎遠だったため、上野氏が介護していたそうだ。上野氏はこれまで「最後はみな一人になる」などと言っていたが、色川氏の最期を看取っている。

これは世間一般にいう「内縁」「事実婚」であり、結婚しているのとほぼ変わらない。諸々の事情を抱えた男女が夫婦同然の生活を送る状態である。若者向けに言い換えると「同棲」。高齢者なら「同居」。法的に婚姻関係があっても別居する夫婦は多い。それに比べたら、実に仲睦《むつ》まじいではないか。

人として大切なものが欠落している

色川氏が亡くなる前日、二人は入籍する。上野氏は『婦人公論』にこう記している。

「そもそも『入籍』という用語がまちがいである。正確には『婚姻届を提出した』と書くべきだ」

役所に婚姻届を提出することにより、晴れて法律上の夫婦となる。それが入籍、結婚にほかならない。たとえ色川氏が亡くなる十五時間前といえど、籍を入れたという事実は変わらない。

上野氏はなぜ結婚したのか。遺産相続や死亡届、資産管理など、死後の事務手続きは親族でなければ不便だと考えたからだという。そのうえで「家族主義の日本の法律を逆手にとるしかないと思い至った」。

養子縁組と結婚という二つの選択肢について、上野氏はこう語る。

「養子縁組なら否も応もなく養親の姓になるほかない。日本の養子縁組制度は家存続のためのものだから、たった一日の年齢差でも年長者が親となる」

「（結婚は）氏をひとつにしなければならない。（略）わたしが姓を変えるか、色川さんが姓を変えるか。いずれも苦しい選択だ」

姓が変わっても、人間が変わるわけではない。相続や医療、介護などの事務手続きが家族優先なのは、悪意ある第三者による権利の濫用を防ぎ、残された家族の生活を守るためにほかならない。

生命に関わる医療や介護をめぐっては、親族の同意が必要なことも多い。私は家族が交通事故に遭ったり、大病を患《わずら》ったりしたときに、その理由がわかった。死のリスクを受け入れるかどうかという究極の判断を委ねられるのは、家族しかいないのである。血は水より濃いのだ。

上野氏は最愛の人の死に際してもなお、イデオロギーや政治的議論にこだわっている。色川氏は最後、食事が喉を通らず、水すら飲めなくなっていたという。愛する人が目の前で衰えていく。もうすぐ命が消えてしまう。そんな極限状況でも、尊い命と向き合うことなく「養子縁組制度は家存続のため」云々などと御託を並べる。**これは人として大切なものが欠落していると言わざるを得ない。情がないのだ。今まで人生について真剣に考えたことがないのだろう。**

『婦人公論』の言い訳じみた空しい反論。その薄っぺらさは、彼女の人生を象徴しているかのようだ。憐《あわれ》みすら覚える。

呪いをかけられた世代

バブル崩壊後の経済停滞期に就職活動を強《し》いられた人たちを「氷河期世代」と呼ぶ。また別の名を「失われた世代《ロストジェネレーション》」。私も氷河期世代である。

年代別に平均収入をグラフにすると、その世代だけ異様に低く凹んでいる。未婚率も他の世代に比べて高い。大きな原因の一つは不景気だが、上野氏をはじめとする左翼、フェミニストの影響も否定できない。

氷河期世代が思春期を過ごした八〇年代から九〇年代、フェミニストが若い女性向けにメッセージを発信して人気を博した。論壇を牛耳っていたフェミニスト、左翼の代表が上野千鶴子氏だった。

当時はバブルの只中。自分が稼いだ金で巨大な肩パッドが入ったスーツを仕立て、バッチリ決める。中年サラリーマンばりに働く「おやじギャル」がもてはやされ、「強い女」が素晴らしいとされた。鶏のトサカのように逆立った髪型に、ヒョウ柄のボディコン。彼女たちの出で立ちは、まるで男を威嚇しているようだった。

「女は男の奴隷じゃない」

「結婚は人生の墓場」

「子供なんて産まなくていい」

「キャリアを優先しなさい」

「男に頼らず何でも自分でやるのよ」

「フリーセックスでいい」

「不倫？　それは女の自由」

そんなメッセージがテレビや雑誌に溢れていた。バブル崩壊直後とはいえ景気は今ほど停滞していない。引き続き「強い女」「自由な女」は支持された。

戦前生まれの世代は、必ずしも好きな相手を配偶者にしたわけではない。お見合いや妥協で結婚した女性も多かった。仕事も選択肢が限られていた。だからこそ、「強くて自由な女」を謳《うた》うフェミニズムに熱狂したのだ。両親が高学歴で裕福な家庭に生まれた女性ほど、「強い女」への憧れは強かった。

彼女たちはショートヘアで化粧っ気がなく、なかには左翼活動に熱中する者もいた。強い父親、従順な母親という戦前の構図に反抗するように不純異性交遊にハマり、野宿やデモに没頭する。不良の仕草をマネして政府や自衛隊に反対する彼女らは、古いものを切り捨てていった。親世代への反抗は「構ってほしい」「注目してほしい」という承認欲求の裏返しだったのかもしれない。

その一方で、自分より若い世代が好む漫画やアニメ、バンドなどのサブカルチャーを「低俗」とみなす傾向にある。若者が女らしさを売りにすることには激怒。二十代前半で結婚・出産するヤンキーたちをバカにしていた。要するに自己中で薄っぺらいのだ。

親と教員に左翼思想を植え付けられ、雑誌やテレビからフェミニズムを刷り込まれた氷河期世代が一体どうなったか。その多くが未婚を選ぶのも無理はない。「おひとりさま」の人生を余儀なくされた。

私の同級生には晩婚、子供がいない人たちが少なくない。経済的な理由もあるが、もっと金銭的に余裕がないだろう若い世代は結婚している。中卒のヤンキー同級生は、二十代前半で結婚して子供が四人もいたりする。

私のように海外留学していた女性、専門職に従事する女、親が高学歴だった女性は揃いも揃って晩婚もしくは独身である。ところが世代が下ると、そういった女性も結婚して子供がいる。つまり氷河期世代が受けた「フェミニズム洗脳」の影響は小さくないだろう。

フェミニストは子供だった私たちに「男はすべて痴漢」「男の脳内はセックスのことで一杯」「男はみな差別主義者」「夫は権威主義で思いやりがない」などと繰り返し唱え、歪《ゆが》んだ男性像を刷り込もうとした。女子高に通っていた私のような人間には、そういった類のメッセージはとくに効果的である。男は怖いものだと信じてやまなかった。

私は学生時代、男子御用達の「ジーンズメイト」で買った作業着のような服を着ていた。体型にも気を遣わず太っていて、ニキビの治療もしなかった。化粧もせず、バイト先も地味な郵便局や倉庫。クラブやコンパにも行かなかった。初めてクラブに行ったのは大学三年生のときである。男性は怖いというイメージを植え付けられた私は、自然と男性を避けていた。

ところが社会に出ると、それが偏ったイメージであることを知る。当然のことだが、男性がみな性差別主義者なわけがない。男性の多くは仕事で汗を流して奥さんや子供たちを守っている。

暴力を振るう男性など一部にすぎず、ほとんどの男性は言葉遣いが丁寧なジェントルマンである。女性を危ない場所へ出張に行かせない。早朝や深夜のシフト勤務は振らない。子持ちにはさりげなく気を遣う。ホワイトデーには、バレンタインであげたチョコレートの何倍ものお返しを用意する。そんな男性ばかりだった。

フェミニストが氷河期の「元女の子」にかけた呪い。当時の「元男の子」もその犠牲者である。女性が結婚してくれないと、男性も結婚しようがない。彼らは同世代の配偶者を見つけることができなかった。フェミニストに「男性＝悪」と洗脳された女性たちは、男性から恋のアプローチがあっても気づかないフリをする。男性は男性で、喧伝される「悲惨で不幸な結婚生活」に怖気《おじけ》づいてしまった。その結果、氷河期世代のカップルはなかなか誕生しなかった。

自分より若い健康的な女性への歪んだコンプレックス

女性教師やメディアの女性たちはなぜ、男性にあれほど攻撃的だったのだろう。もしかすると、彼女たちの父親や親戚は、戦争の後遺症で精神を病んでいたのかもしれない。そう思う理由は、両親や親戚から聞いた話が頭の片隅に残っていたからである。

フェミニストが攻撃的な言説をまきちらしていた七〇年代から九〇年代にかけて、言論や教育に関わる女性の家族や周囲には戦争に翻弄《ほんろう》された男性がいた。戦時中の過酷な経験や戦後の貧困生活の影響で、アルコール依存症になったりＤＶに走ったりする男性である。

実は私の身内にも何人かいた。終戦後に人格が激変してしまった男性もいた。

これは日本だけの話ではなく、ドイツやオーストリアにも同じ現象がみられる。オーストリアで生まれ育った俳優のアーノルド・シュワルツェネッガーは告白している。彼の幼少期、オーストリアやドイツでも戦争の後遺症で精神を病んだ男性が多く、警官だった彼の父親もその一人だったという。戦場のトラウマ、倫理的な苦しみから酒や暴力に逃げていたのだ。

シュワルツェネッガーはボディビルの世界チャンピオンとしても有名だが、欧州ではボディビルがさほど盛んではなかった。六〇年代から七〇年代にかけては、トレーニングジムすら珍しかったのだ。彼はなぜ肉体改造に没頭したのか。ＤＶ癖がある父親のいる家にいられなかったからかもしれない。

彼はケネディ家の一員であるマリア・シュライバーと結婚するが、ハウスキーパーのラテン系女性と不倫の末、隠し子をつくって認知している。愛人の女性は気さくで家庭的な人柄で料理がうまい。ハリウッドスターの愛人のイメージからはかけ離れている。彼は立身出世のためにシュライバーと政略結婚したが、本当に求めていたのは伝統的な温かい家庭だったのだろう。

シュワルツェネッガーは荒れた父親への報復として、自分の肉体を極限まで改造した。ハリウッドスターにのぼりつめた後も家庭的な愛人をつくった。まるで「私はお父さんのような人生は歩まない」と言いたいかのように。

日本のフェミニストたちは、暴力的な男性への憎悪をイデオロギーに昇華させ、若い世代に自分たちが味わった苦しみを経験させようとした。金銭的にも物質的にも恵まれ、平和な時代に生きる若い女性のことが許せなかったのだ。

古い世代のフェミニストと接していると、そう感じることがある。彼女たちは自分より若い世代が女らしい格好をしたり、男性と楽しく過ごしたり、セクシーな格好をしたり、専業主婦として家庭に入り子育てしたりすることが嫌で嫌でたまらない。歪んだコンプレックスである。

エルメスの代わりに東大ブランド

個人的な恨みを発散するため、学問の名のもとに他者を犠牲にすることは許されない。

広島と長崎への原爆投下の直前に「フランク報告書」が作成された。原爆投下がもたらす社会的・政治的影響をまとめたレポートである。マンハッタン計画に参加していたジェームス・フランクは、道義的観点から日本に原爆を使用すべきでないと警鐘を鳴らした。科学者は研究や技術の問題点について、一般大衆に説明する必要があるとも指摘している。日本においても、ノーベル賞を受賞した湯川秀樹教授、朝永振一郎教授らは学者の倫理的責任に言及した。

学者はなぜ一般国民に説明責任を負うのか。大学や研究所の活動が税金によって支えられているからだ。研究成果という「公共物」は社会に貢献するものでなければならない。

社会学者にも倫理的責任があり、他人に自説を披歴する前に自分自身の行動を厳しく問うべきである。そう述べたのはカントである。

上野氏は東京大学に雇用され、税金で研究活動をしてきた。肩書好きの日本人にとって、東大教授は最強のブランドである。彼女は東大ブランドを利用して講演会やメディア出演、出版活動を行ってきた。「公共財」を金儲けの道具にしてきたのだ。

それでいて、自身の言論活動が批判されると『婦人公論』という商業誌で反論を展開する。おそらく『婦人公論』への寄稿にも原稿料が発生するのだろう。まったく楽な商売である。

上野氏の生き方を見ていると、中国やロシアをはじめとする権威主義国家のブクブクに太った政治指導者、あるいは不当に富を独占する富豪を連想する。

独裁国家は「平等な社会を実現しよう」と言いながら、政権幹部や富豪は莫大な資産を築き、豪奢《ごうしゃ》な生活を送っている。困窮に苦しむ一般国民など眼中にない。蓄財した富はケイマン諸島、キプロス、マルタなどタックスへイブンに移転。家族を連れてイギリスやスイス、カナダへの移住を目指している。

彼らの好むロンドンやパリでは、権威主義国家の政治家や富豪のドラ息子やドラ娘がスーパーカーを乗り回している。ホテルやマンションを現金で一棟買いすることも珍しくない。モナコやイタリアに停泊しているクルーザーも彼らの所有物だ。

上野氏は「等しく平等になりましょう」と脱・成長主義を説きながら、タワーマンションに住んで高級車を乗り回していた。「おひとりさま」をネタに本を書きながら、結婚していた。**中国やロシアの政治家や富豪と上野氏、何が違うというのか。**

フェミニストは一体全体、誰を幸せにしたのだろうか。ウソと矛盾にまみれた彼女たちの言説は男女対立を煽り、少子化を進行させ、大勢の人生を狂わせただけである。

子孫繁栄なくして人類の存続はあり得ない。

小室圭さんのロン毛は常識ハズレ

日本国内では新型コロナのあとは、話題の中心が眞子さまと小室圭さんのご成婚に移った。個人的にはお祝いしたい気持ちもあるが、日本国民として拭《ぬぐ》いがたい不安が残ることも事実だった。

第一の懸念は、お二人の価値観が若者にしてはどことなく〝レトロ〟なことである。

例えば、小室さんのロン毛スタイルを見て、二〇〇〇年前後にキムタクが大人気だった頃を思い出した。実に懐かしい感覚を覚えたのである。

小室さんは村上春樹を読んでいたり、ニューヨークへの異様な執着を感じさせたりと、その生活スタイルやキャリアプランが今の四十代後半から五十代にかけてのバブル世代が好むものと重なる。小室さんと同世代の若者にとって、ニューヨークなどオワコンだろう。

今の若者はわざわざ大都会には住まないで、郊外や田舎で広々とゆったり暮らしたいと思っている。コロナ禍において、そのトレンドは加速した。人が密集する都会は感染リスクが高く、どこに住んでいようとリモートワークで仕事ができるようになったからだ。

ロン毛は流行遅れ

アメリカでも、一九八〇年以降に生まれた「ミレニアル世代」は通勤すら嫌がっていて、郊外に住んで在宅勤務するのが最先端でカッコイイという感覚である。ネクタイを締めて颯爽《さっそう》とウォール街を歩くビジネスマンなんて、古くてダサい。

最近は進学先も勤務先も多様化していて、金融だからニューヨークに行こう、ITだからシリコンバレーに行こうという声はあまり聞かれなくなっている。何が何でもアメリカ国内にこだわる時代でもない。若者は感覚が鋭敏だから、アメリカの国力低下あるいは国際社会のパワーバランスの変化を感じ取っているのかもしれない。

眞子さまが皇室を離脱して一般人になっても、アメリカの社交界においては日本の代表として様々な場に現れることだろう。そのとき、彼らはレトロにもかかわらず、「新世代の日本人」の象徴として見られる可能性がある。バブル崩壊後、日本は長らく経済停滞を続けているが、**お二人は「時代に乗り遅れた日本」を象徴しているように思えてならない。**

第二の懸念が、眞子さまと小室さんの一般常識の理解についてである。日本のワイドショーでは、識者の方々が「ニューヨークではロン毛が流行っている」と言っていたようだが、実のところ全く流行っていない。アメリカのみならず、欧州でもロン毛は時代遅れである。欧米では、小室さんのようなロン毛スタイルは配管工や電気工事士、街でスケボーをやっている人たちなどに多い髪型である。

アメリカではコロナ禍でも美容院や床屋がかなり前から営業を再開しているので、小室さんはいつでも散髪できたはずだ。だからこそ、なぜロン毛なのか理解できない。

アメリカは「自由の国」と呼ばれるが、まったく自由ではない。とくにドレスコードが厳しい。スーツのスタイルは細かくチェックされ、裾の長さや靴下の色、ベルトやカバンの形も見られる。ちなみに、イギリスや欧州北部はもっと厳しい。白髪染めはOKだが、ロン毛もおしゃれ毛染めもダメである。

法律、会計、金融などのお堅い業界は、信用がすべてだ。小室さんは企業法務を手がける法律事務所に内定しているが、動かす金額が大きいため顧客の信用を得ることが重要になる。要するに、ロン毛は絶対NGなのである。

にもかかわらず、すでに内定している小室さんのロン毛姿が世界中に放映された。眞子さまも注意しなかったようだが、ハッキリ言って常識ハズレである。

弁護士は使用人

日本人にとって、弁護士は憧れの職業である。しかし欧米では、弁護士は「面倒事を外注で処理してくれる人たち」という程度のイメージだ。配管工やシロアリ駆除業者のようなイメージで考えるとわかりやすい。社会的に尊敬される職業ではなく、いわば汚れ仕事をやる人たちである。企業でも弁護士は下請け業者扱いで、無理難題を押し付けられたり、ひどい扱いを受けたりする。訴訟の関係者に恨みを持たれる可能性も高く、色々な意味でリスクが高い。厳しい労働環境ゆえに、それなりの報酬をもらわないと割に合わない。だから年収が高くなるのだ。

したがって、弁護士はプリンセスの配偶者の職業として〝格落ち感〟が否めないのである。弁護士はあくまで「使用人」であって、富裕層や貴族にアゴでこき使われる可哀想な人々というイメージがある。日本のプリンセスが弁護士と結婚すると聞いて驚く欧米人は多い。

さらに弁護士は、様々な人々の利害を調整する仕事で、「利益相反」に引っかかることも多い。身内に公的な立場の者がいると、案件に何らかの影響を及ぼすこともあるため、王室筋が弁護士と結婚することはめったにない。

小室さんには、入学や学位取得、就職にあたって皇室のネームバリューを利用したのではないかという疑惑があるが、実際に仕事をしていくにあたって皇室との関係が問題になる可能性が高い。

眞子さまは一億五千万円の一時金を受け取らないとおっしゃっている。しかしアメリカは近年、物価の上昇が激しい。とくにニューヨークの住宅価格や物価は異様に高く、年収二千万円でも生活に余裕はない。例えば2LDKの家賃が月百万円を超えたり、私立学校の学費が年額六百万円もかかったりする。

そんななか、眞子さまと小室さんは日本の代表として様々な場に招かれることになる。社交を拒否することは難しいだろう。

ニューヨークの社交界にいるような他国の貴族や王室系の人々は莫大な資産を持っていることが多い。遺産相続などで数百億円単位の資産を有していることもあるし、そのような人たちの配偶者は代々貴族だったり、金融で財をなした者だったりすることも少なくない。本人も配偶者もセレブなのだ。

その典型がヘンリー王子とメーガンである。ヘンリー王子はダイアナ妃と曾祖母から三十六億円を超える遺産相続を受けており、メーガンは女優時代に貯蓄した数億円単位の資産を持っている。そのうえ、彼らはメディア露出で莫大な報酬を手にしている。ネットフリックスからの報酬だけで百十七億円とも噂され、二〇二三年一月に出版されたヘンリー王子の回顧録は出版前の前払い印税が二十億円を超えるとされる。

小室さんと眞子さまは今後、このような人たちと渡りあっていかなければならない。年収二千万円に満たないと思われる小室さんの報酬だけで、果たしてマトモなお付き合いができるだろうか。先述したように、利益相反に引っかかって弁護士業も難航が予想される。そもそも、二人の警備費は誰がどのように工面するのかも不明である。

世界では王室や皇室に関するコンテンツは大人気で、世界で最も歴史が長くミステリアスなイメージがある日本の皇室に興味を持つ人は多い。小室さんと眞子さまは皇室を離れて、書類上は一般人になる。したがって、自由に商業活動をすることが可能だ。

ご成婚までの流れを見ていると、お二人と皇室の関係は決して良好であるとはいえない。そんな状況のなか、ヘンリー王子とメーガンの王室暴露ビジネスを真似る可能性もゼロではない。予期しない内容がメディアで配信されて、皇室バッシングに利用されかねないのだ。眞子さまと小室さんの「良識」に、日本の命運がかかっている。

イギリスで小室夫妻の〝貧しさ〟が称賛されている

イギリスメディアは日本の皇室を取り上げることが多い。自国と他国のロイヤルファミリーを比較したい人たちがいるのだ。とくに皇室に対しては、世界で最も長い歴史を持っていることもあって、神秘的なイメージを抱いている。

日本はアジアにおける唯一の先進国で、伝統文化を維持しながら強い経済を有している。歴史と最先端が共存する珍しい国とみなされているのだ。日本の特別感を象徴しているのが、皇室にほかならない。

第二次大戦で敵国だったこともあり、戦後の一時期、日本の皇室に対して反感を持つイギリス人は少なくなかった。しかし、世代交代が進んだ現代においては、自国のロイヤルファミリーと同じように、ゴシップネタの対象として興味を持つ人たちが多い。

若者を中心に、日本のゲームやアニメ、マンガのファンも増えている。サブカルチャーを通じて日本文化に興味を持つ人たちもいる。そんな若い世代は、ユーチューブなど動画サイトで日本の皇室の存在を知る。昔ながらの文化を受け継いでいる皇室を紹介する動画のコメント欄には、日本語より英語のほうが多い場合もある。

今上陛下は、まさにイギリスにおける皇室ブランドを確立された方である。オックスフォード大学で学ばれたこともあって、陛下は格調高い英語をお話しになる。オーケストラでヴィオラを演奏されたり、熱心に学術研究されたりする姿も知られていて、イギリス人から大変な尊敬を集めている。

イギリスに限らず欧州の王族は、パーティーや休暇に熱心だ。大学にすらマトモに通わない王族がいるなか、知的な陛下は新鮮さをもって受け止められているのだ。

そして現在、イギリスでは眞子さんと小室圭さんの結婚が話題になっている。とはいえ、日本の伝統や知的な陛下に対する関心とはまったく異なるベクトルからの興味である。小室夫妻の「貧しさ」が注目されているのだ。

デイリーメールなど新聞では、「アパートに住むプリンセス」「一億五千万円の持参金は拒否」「新郎は司法試験に落ちた」「姑は元カレに借金」といった話題がトップ級で報じられていた。一般人が司法試験に落ちたニュースが世界を駆けめぐることは珍しいが、一般人の母親の借金額まで全人類に晒《さら》されてしまうのも前代未聞である。

皇室は厳《おごそ》かで保守的というイメージがあっただけに、小室さん関連のニュースはイギリス人の度肝を抜いた。

プリンセスなのに、資産保有額はイギリスや欧州の王室メンバーの百分の一以下。夫には資産がほとんどなく、試験に落ちて就職先もクビ寸前。義母は借金で元カレと揉めまくり、親族が謎の死を遂げている。

イギリスでは『イーストエンダーズ』という人気ドラマが放送されている。日本でいう『渡る世間は鬼ばかり』のようなものだが、苦労物語が楽しまれるのは万国共通である。

結婚会見で、小室さんは眞子さんからアメリカに拠点を作るようプレッシャーをかけられていたことが判明した。女性が強いイギリス社会では、妻から昇進や稼ぎについて厳しく追及される夫が多い。記者会見の小室さんの姿を見て、まるで自分のようだと思ったイギリス人男性も多かっただろう。「日本のロイヤルファミリーだって、オレたちと変わらないじゃないか！」と、小室夫妻は共感と同情をもって親しまれている。

高い好感度の背景に、ヘンリー・メーガン夫妻とのコントラストがある。

小室夫妻はプライベートジェットで移動することもないし、上から目線で環境についてスピーチすることもないし、お世話になった人たちの悪口を言って数十億円も稼いだりしない。自分たちのウェブサイトを立ち上げてグッズを販売するようなこともしていない。

メーガンと対照的に、イギリス国民は小室さんを「清貧」というイメージでとらえているのだ。

眞子さんと小室さんが今後、どのような人生を歩んでいくのかは誰にもわからない。しかし、自分からわざわざ好感度を下げるようなことはしない方がいいだろう。「ロイヤルユーチューバー」になって「マコとケイの朝のルーティーン」を公開したり、マンハッタンで「海の王子」印のタピオカミルクティー販売に手を出したりしないことを祈る。

愛子様にあって眞子さんにないもの

愛子様が二〇二一年十二月一日に二十歳の誕生日を迎え、成年皇族となられた。純白のローブデコルテとティアラを身に着けた愛子様のお姿を拝見して、二十年という月日があっという間に過ぎてしまったことに驚き、自分も年を取ったのだと実感した。

こんなことを書くと不敬にあたるかもしれないが、愛子様がお生まれになったばかりの頃から映像や写真でお姿を拝見しているため、親戚の女の子が美しく立派な女性になったような感覚である。

愛子様の何ともいえぬ愛くるしいしぐさと、自然と滲《にじ》み出てくる誠実で親しみやすいお人柄ゆえに、私と同じような親近感を抱く日本国民は多いのではないだろうか。

いつも愛子様のそばにいる愛犬・由莉ちゃんの表情からも、愛子様の優しさを感じることができる。私も実家でセントバーナードを飼っていたが、犬という動物は正直で、その性格や振る舞いは飼い主の人柄を反映する。自分が安心できる飼い主のそばにいると、穏やかな表情をするのだ。

美しくなられた愛子様からは、優しさや親しみやすさと同時に、長きにわたって続いてきた日本の歴史を背負っているという責任、威厳のようなものが感じられる。私は、日本人にとって皇室が一体どういう存在なのか――改めて思い返していた。

私は若い頃、皇室にさほど興味がなかった。

左翼色が強い日本の高校と大学に通い、留学したアメリカの大学院も過激なほどリベラルな学校だった。それゆえに、日本の皇室やイギリス王室の存在自体に疑問を抱くこともあった。同級生や教員には皇室・王室を廃して共和制を目指すべきだと主張する人たちもいた。

ノンポリだった私は、周りの空気に少なからず影響を受けていたと思う。

その後、日常生活において皇室の存在をさほど意識することがないまま大人になった。そんな私の考え方が大きく変わったのは、東日本大震災である。

震災から五日後、上皇陛下は国民に向けて異例の「ビデオメッセージ」を発せられた。国民全員に対して、苦難の日々を分かち合い、乗り越えることを願う気持ちを伝えられたのだ。

未曽有の原発事故が起きると、東京から逃げ出す政治家もいた。**それでも陛下は東京にとどまり続けられた。そんな陛下のお姿を拝見して、「これで日本は何があっても大丈夫だ」と思ったものである。**

その後、両陛下はご自身の体調不良やご高齢にもかかわらず、被災地を何度も訪問された。家族を亡くした被災者や、原発事故で避難を続ける被災者の話を、膝をついてお聞きになり、一人ひとりの手をとって励まされた。

陛下を前にした被災者たちの表情は明るかった。陛下がいらっしゃれば大丈夫という安堵はもちろん、陛下がいらっしゃれば日本は必ず復興できるという自信すら感じられた。

国民にとって、天皇は心の拠りどころであり元気の源でもある。

このとき私は、「象徴天皇」の意味を理解した。

対照的に、欧州の王族は権力闘争の末に大地主となった人たちに過ぎない。彼らは単なる資産家であって皇族とは本質的に異なる。

欧州の王族には個人の自由があり、自分のカネは自由に使える。世俗に染まっているゆえに、芸術や学術活動とは縁遠く、褒められたものではない生活を送っている者も多い。

この違いを理解しないまま、安易に「開かれた皇室」を主張するのは危険である。皇族には、日本国民にとって精神的な拠りどころとしての役割が期待されているのだ。そのためには、誠実さと威厳、そして国民の歴史を背負っているという覚悟と責任が必要である。

冒頭に戻るが、愛子様のお人柄や雰囲気には、その覚悟が感じられる。

眞子さんと小室圭さんの結婚をめぐり、皇室のあり方が問われている。そんななか、成年皇族となられた愛子様のお姿は、皇室と日本人の紐帯《ちゅうたい》を思い起こさせてくれた。

小室夫妻は一般人としてニューヨーク生活を始めた。とくに眞子さんは自由の身とはいえ、元皇族である以上、日本の代表として扱われる。お二人には、日本人にとって皇室とはどんな存在であるのかを今一度、認識していただきたい。

第四章

日本人とイギリス人

ヨーロッパの多様性にまさる日本の単一性

二〇二二年一月初旬の時点で、イギリスはコロナ感染者が一日二十万を超える状況となっていた。二〇二一年秋の時点では、もう収束に向かうのではないかという雰囲気だったが、同年末にオミクロン株が感染爆発を起こして予想外の事態になった。

欧州諸国は水際対策を緩和した。イギリスは入国前のＰＣＲ検査を廃止し、入国後の隔離も大幅に緩和。すでに国内で感染爆発が起こったため、もはや水際対策をしても無駄だと白旗を上げた状態だったのである。

イギリス国民は決してこれに賛成していたわけではない。政府の杜撰《ずさん》な感染対策や、専門家の意見を聞かずに政治的判断を行うボリス・ジョンソン首相（当時）には、国民から怒りの声が上がった。

イギリス国内では累計でコロナ感染者が千五百万人、死者は十五万人を超えていた。これは政府に認定された数にすぎず、自宅で死亡した人数を含めると倍近くになるのではないかとも言われた。

対して日本は、二〇二二年一月初旬の時点で感染者が百七十万人、死者が一万八千人にとどまっていた。超高齢化社会、高い人口密度にもかかわらず、感染者数・死者数の少なさは驚くべきものがある。

イギリスと日本のデータから理解できるのは、死者は感染者の約一％であるということだった。他の国でも似たような数字が出ている。感染を抑えることが、死者数の抑制にもつながるということだ。

日本の感染者数・死者数の少なさの原因として「ファクターX」が存在する、つまり日本人独自の免疫があるともいわれているが、それだけでは感染をここまで抑えられてはいなかっただろう。結局は「マスク着用」『手洗い』『人混みに行かない」といった地道な感染対策が奏功したのだ。一人ひとりが感染対策の「意味」を理解して自らの行動に責任を持ち、周りの人たちや社会に対して配慮できる日本人にしか不可能な芸当である。

どれだけ厳しい罰則をつくったり監視カメラを設置したりしても、個人の意識がともなわない限りルールは守られない。ルールづくりや監視・罰則の強化は実施に莫大なコストがかかる。日本はみな自発的にルールを守るので、低コストで社会の秩序の維持が可能となっている。

国際政治学者のフランシス・フクヤマは『歴史の終わり』（邦訳・三笠書房）で、民主主義と資本主義経済こそ文化的に進歩した政府の最終形態であると説明した。しかし、その後に出版した『「信」無くば立たず』（邦訳・三笠書房）では意見を修正。文化と経済は完全には分離不可能であると述べている。

フクヤマの主張の概要は以下のようなものだ。国民間で共通の文化やモラルが存在する日本は、アメリカに比べて国内での紛争が非常に少なく、人々の意思疎通やビジネスにおける取引もスムーズである。**このような「単一性」ゆえに、低コストでの国家運営が可能で、安心してビジネスを行える。これが日本の「国力」である――。**

フクヤマの主張の背景には、母親が日本人であり、日系人として日本文化を知っていることがあると思われる。アメリカ人として育ちながら日本の文化も身近に観察していたため、アメリカ文化との違いを肌で感じていたのであろう。

日本ではバブル崩壊後、ネオリベラル的な社会の良さが主張され、多様性を賛美する人たちが増えた。ところが、コロナ禍のような危機においては、日本のように多様性を欠く国のほうが防疫対策をうまく進めることが可能で、国民も周囲を気遣いながら互いに協力し合うことができた。ある意味、皮肉なことかもしれない。

人類の発展と幸福を考える際に最も優先すべきは「人命」である。「先進的」と称されてきた北米や欧州の社会のあり方が、人命を守るという点ではマイナスに作用してしまった。人命を蔑《ないがし》ろにしてまで強調される多様性や個人主義とは一体何なのか。

義理や人情を重視し、周囲の人に配慮するという日本の社会のあり方は、これまで古臭いものとして評価されてこなかった。**ところが、実際に人々を救ったのはその古い社会のあり方にほかならない。**

多様性について、いま一度考えるべき時が来ているのではないだろうか。

欧州では小学校で戦争を徹底的に教えている

ロシアがウクライナの攻撃を開始してから、イギリスをはじめ欧州諸国は、テレビの報道を見る限り、もはや戦時体制状態であった。

通常はお得な割引情報や高齢者の不倫の悩み、やせて見える洋服の選び方、息子が借金を返済しない、夫がスワッピングを要求するといった視聴者の悩みに応えるイギリスの朝のワイドショー（イギリスではチャットショーと呼ばれ、日本のワイドショーとは色合いが違う）でさえ、朝からずっとウクライナのニュースを流していた。

テレビだけではない。イギリスで最も売れている大衆紙『ザ・サン』の二面には、いつもはセクシーな美女の写真が掲載されているのだが、それがすべて戦場レポートに取って代わられた。ムチムチの美女の代わりに、クラスター爆弾の詳しい解説が掲載されている。

まさに非常事態なのだ。

大衆紙でありながら異様に詳細な兵器解説が掲載されたり、やたらと緻密な戦略図がカラーで載ったりするところは、やはりイギリスである。ここまで「戦時モード」に入っているということは、事態が相当緊迫しているのであろう。

というのも、ウクライナはイギリスを含め、欧州西側諸国にすればとても距離が近いからである。日本人には、なかなか理解できない感覚ではないだろうか。

例えば、ウクライナとポーランドの国境にある街からワルシャワまでは車で五時間ほどの距離である。北部にある国境沿いの街からドイツのドレスデンまでも八時間ほど。欧州は陸路でつながっているので、他の国まで車やバスで移動したり、列車を乗り継いで移動することが容易だ。

当然、航空機であれば時間はもっと短くなる。欧州域内ならウクライナまで二〜四時間ほど。しかも激安航空会社を使えば数千円から二万円ぐらいで移動可能だから、東京から沖縄に行くよりも安い。

日本の地理に置き換えたら、より理解できるのではないか。たとえば、新潟や松本、広島などが弾道ミサイルで連日破壊され、東京を目指し、百万人単位の避難民が移動してくる。しかも陸路移動が可能なため、戦車や装甲車が東京に迫りつつある……という感覚なのだ。

欧州西側諸国はウクライナに対して武器を提供している。NATOは攻撃に参加できないが、武器供与は実質的にロシアに対する宣戦布告とみられている。核攻撃の可能性もあるから、欧州の人々は戦線の拡大を恐れている。

さらに欧州の人々は日本と異なり、学校でスターリングラードの戦い（第二次大戦下、一九四二年十一月から翌年一月にかけてソ連軍が、ドイツ軍に攻め込まれたスターリングラード〈現ボルゴグラード〉を包囲奪回した戦い）について詳しく学ぶ。日本のように戦争は悲惨だとただ単に教えるのではなく、どうしたら市街戦で生き延びることができるのか、戦闘で勝利するコツは何か、などといった視点から教えるのである。

そのため、市街戦の悲惨さや戦線拡大の恐怖が子供の頃から知識として十分身についているので、戦争に対する恐怖の意識が違うのだ。

このような教育からも欧州の冷徹な現実主義を垣間見ることができるが、今回のウクライナ侵略のような有事が発生すると、欧州の教育はあながち間違っていないことがわかる。多民族が共存する欧州では、戦争があることが通常の状態であり、平和は恒久的ではないことを誰もが認識しているのだ。

その一方、日本のメディアには、欧州のような緊迫感がまったく感じられない。まるで他人事のように、ウクライナ危機を報じている。**ワイドショーを見ると、ど素人のタレントや専門外の人間が登場して的外れなことを口にし、「戦争は悪」と感情論を繰り返す。**イギリスや欧州大陸のテレビに登場するのは現役の軍人や軍事アナリスト、戦場ジャーナリストなど専門家のみ。実に対照的だ。

日本は地政学的に見ると、ロシアや中国、北朝鮮に囲まれており、実は欧州北部の国々よりも、はるかに戦争のリスクが高いのだ。

そのような現実認識を日本のメディアが報じるとは到底思えない。そこで『Ｗｉｌｌ』のような雑誌や独立系メディアのほか、アメリカや欧州の専門家の発信する情報にも敏感になる必要がある。

その際にどうしても必要になるのは英語である。有事に備える意味で英語の学習も推奨したい。

ジョンソン首相が辞めざるを得なかった英国的事情

イギリスのボリス・ジョンソン首相が二〇二二年七月七日に辞任を発表した。保守党はさっそく次の党首を選ばなければならないが、日本ではイギリスをはじめとする欧州の状況があまり報道されない。

キャラクターが強めで破天荒なイメージのジョンソン首相は、日本でも人気がある。彼がなぜ、このタイミングで辞任に追い込まれたのか。多くの日本人は理解できていなかっただろう。

ジョンソン首相辞任の原因の一つに、ロシアのウクライナ侵攻による燃料費などの物価高騰がある。経済の先行きが見えないなか、ジョンソン政権の対応に不満が噴出したのだ。

イギリスの消費者物価指数（ＣＰＩ）は二〇二二年六月に前年比九・四％上昇と、ここ四十年で最高の数値を記録した。物価高に大きな影響を与えたのは燃料費の高騰だが、年金や給与の上昇がインフレにまったく追いついていない。一般庶民に光熱費の負担が重くのしかかっていた。

イギリスの光熱費は、二〇二三年には一世帯あたり月五～十万円近くになってしまった。イギリスの国民年金は、週に約百四十二ポンド（約二万三千円）。ひと月あたり九万二千円程度なので、日本より物価がはるかに高いイギリスでは決して大きな額ではない。日本のような厚生年金は存在しないため、一般庶民は国民年金、そして職場が掛け金の一部を負担する個人年金で老後資金を賄《まかな》う。自営業や中小企業勤務者は、国民年金だけという人が多い。月五万円の光熱費が年金の半分に該当してしまう人たちも多い。

にもかかわらず、燃料費高騰に対する補助金や支援策もないに等しい。地方税が少々割引されるくらいである。**日本はコロナ禍において、国民一人あたり十万円が給付されたが、イギリスにはそんな手厚い支援はなかった。**

イギリスをはじめとする欧州各国は、ウクライナから距離が近く、エネルギー資源を少なからずロシアに依存していた。そのため、燃料費高騰の影響は日本よりもはるかに深刻だ。

欧州で使用される天然ガスの三〇％がロシア由来。とくにドイツは最もロシア依存が強い国の一つで、二〇二一年の天然ガス輸入の五五%、原油の三〇%がロシア産である。

このような状況において、他国に先んじてウクライナ支援のリーダーシップを発揮してきたのがジョンソン首相である。いわば、外交パフォーマンスには優れていたが、内政が手薄だったことは否めない。

度重なる離婚や婚外子の存在、贈収賄疑惑、妻の政治介入、自身を含めたコロナ規制の無視など、私生活の乱れも指摘されていた。それが国民の反感を招いてしまったのだ。

ジョンソン首相の父方の曽祖父はイスラム教徒であり、オスマン帝国でジャーナリストとして働いた後に内務大臣を務めた。非常に雄弁で面白い人物であった曽祖父だが、当時、反英の気質が高まっていたトルコで親英派を公言。留学中に出会ったイギリス人の女性と結婚していた。最終的に、若いトルコ人で構成される急進的愛国主義に反対して惨殺される。

その息子、つまりジョンソン首相の祖父は優秀な弁護士。父親のスタンリーは作家で欧州議会議員も務めた。祖母方の一族は欧州大陸の貴族で、イギリス王室の遠縁にあたる。

ジョンソン首相はチャーチルをロールモデルに首相の座を狙ってきた野心家だが、内政と世論を無視する傾向がある。地に足をつけた政治を行う能力には欠けていたようだ。

欧州には「貴族系政治家」が少なくない。彼らは特権階級なので体裁をとり繕うのは上手いが、実がともなわないことが多い。

日本政府は一般国民に手厚い支援をしているので、エネルギー価格高騰の影響は抑えられている。しかし、マスコミは政府の努力をあまり報じない。コロナ禍における支援策についても、海外との比較で報道されなかったのは残念だった。**欧米に比べて、実は日本政府が優秀だということを日本人は知らない。**

日本の政治家や官僚はパフォーマンスが下手なので、実績が評価されにくい。だが、やるべきことはやっているのだ。たまには感謝しても罰は当たらない。

日本人の忘れた〝任侠道〟がイギリスに残っている

森喜朗氏が二〇二一年二月に東京五輪組織委会長を辞任したことを日本の新聞・テレビは大々的に報じた。欧州メディアも若干は触れていたが、遠く離れた島国の〝舌禍〟など三面記事以下の扱いであった。今はコロナをどう収束させるか、経済をどう回復させるかが最も大きな関心事だからだ。

筆者も女性なので、「女性差別とはケシカラン！」と、森氏の発言の全文を確認してみた。しかし、どう読んでみても、マスコミが糾弾するような「女性差別」は見当たらない。「会議での女性の発言は長くなることもあるが、女性は優秀だからどんどん登用したい」というような発言もある。むしろ女性を褒めているではないか。

切り取られた「女性がいる会議は長い」という発言も他愛のないもので、なぜこれが問題になるのかサッパリわからない。

筆者は氷河期世代《ロストジェネレーション》として生まれ、男だらけの世界で学問に励み、女性比率が一〇％以下、かつ深夜残業は当たり前の業界に飛び込んだ。日本だけでなく欧米でも男性と対等に仕事をしてきたが、森発言は「問題ない」と感じる。森氏はラグビー協会の理事にも女性を推しており、積極的に女性登用を進めてきた。むしろ女性差別とは対極にいる人物だ。行動はその人の本質を表す。口だけの人間とは違う。

森氏はコミュニケーション能力が高く、総理経験者として世界中に豊富な人脈を有する。李登輝元総統が亡くなった際は日本代表として弔問し、ロシアのプーチン大統領とも緊密な関係を築いた。サービス精神旺盛な森氏はジョークで場を和ませるが、今回はその〝人の良さ〟につけこまれた。

マスコミや左翼は発言のごく一部だけを切り取り、意図を曲げて伝えた。いつものやり口だが、欧州なら発言者に名誉毀損で訴えられても文句は言えない。真実をありのまま伝えるというジャーナリズムの基本が崩壊している。しかし、誰もそれを指摘しないし、議論さえ起こらない。

驚くべきは、ネット上で次のような主張がなされていたことだ。

「私が望んでいるのは森喜朗氏の辞任ではなく、このクラスの男性たちの再教育。中国共産党がやっていたみたいに再教育キャンプとかに入れたほうがいいんじゃないか」

リベラルを自称する人たちは、この意見に賛同していた。自分とは価値観の異なる相手の思想を矯正し、社会的に抹殺するとは、全体主義そのものである。欧州で「ナチスの強制収容所に送れ」と言うようなものだ。冗談でもそんな発言はしてはならない。

騎士道と武士道

今回の騒動は日本人の国民性を表している。日本人には羊の群れのような習性があり、攻撃すべき対象が見つかると、自分の考えにかかわらず徹底的にイジメてしまう。周りに合わせることで安心感を覚えるわけだが、それは全体主義的な傾向ともいえる。流れに乗らないと仲間外れになるという心理は、小学生のイジメと変わらない。日本人の本質は自己保身である。

森氏を「差別主義者」と叩きながら、一般社会で女性よりはるかに差別されている非正規の中年男性や、要介護の老人を抱えた貧しい家庭への差別にはダンマリ。真の弱者に目を向けたところで、周りから褒められることはないからだ。今の日本では、周りにどう言われようと信念を貫き通して正義を追求する人間が減っている。

イギリスと比較すると違いは際立つ。イギリスは日本と同じ島国だが、古来、欧州大陸だけではなく北欧諸国から人々が行き来してきた「民族の交差点」のような場所である。フランスに征服されることもあれば、七つの海を支配して大英帝国を築いたこともある。人種・民族・宗教・イデオロギーと、あらゆる面で雑多な土地なのだ。

イギリスは欧州で最も早く教会と世俗社会の分離を成し遂げた国でもある。合理主義と個人主義思想が色濃く残り、それは日常生活にも反映される。簡単に言えば、イギリス人は自分のことに関心があって他人にはあまり興味がない。ゴシップ誌もあって噂話は好きだが、あくまで話のネタにすぎない。日本のように有名人のスキャンダルに執着することはないのだ。

イギリスの個人主義は時に〝わがまま〟となり、コロナ禍においてマイナスに作用することもある。だが、日本人が見習うべきところも多い。

イギリスでは、人々が「お互い違う人間として暮らしましょう」と割り切って生活している。経験から学んだ知恵にほかならない。

金銭的・政治的な利害対立があれば激しい議論をすることもあるが、相手を叩きのめすことはない。根本的な考えが違うから、叩いたところで得るものはないし、他人から共感されることもないからである。

相手を叩くと、反撃に遭うかもしれない。宗教や人種が違うし、どんなコネがあるかもわからないから、相手に非があっても論破せず、遠回しに異論を述べながら妥協点を探る。日常生活では様々なことを灰色《グレー》にしておくのだ。対して日本は村社会で、人種や宗教の多様性がない。さらに相手のコネがあらかじめだいたいわかっている。反撃されないとわかれば、徹底的に叩きのめす。

イギリスには騎士道的なもの、つまり「武士の情け」の感覚が残っている。不可抗力により弱い立場にある人間を叩いてはならないという暗黙の了解があるのだ。例えば被災者、身内に不幸があった者、病気や障害で窮地に立たされている者。人工透析を受けている森氏のような高齢者を袋叩きにすれば、卑劣な人間として蔑《さげす》まれる。しかし残念ながら、今の日本で騎士道精神＝任侠的なものを有しているのは森氏のような昭和世代だけだ。

最低限の教養とマナーもない日本のマスコミ

欧州には「言葉で戦う」という文化がある。相手の発言を吟味《ぎんみ》して意図を汲み取ったうえで議論に臨む。イギリスでは、四歳ぐらいからその訓練を繰り返し行う。

筆者の息子は小学校低学年だが、学校では毎日のように文章やスピーチの意味を正確に理解し、要約する訓練をさせられている。他人の意図を読むことは最低限の教養でありマナーであり、それができない者は知能が低いとみなされる。

日本のマスコミには暗記が得意な受験秀才が集まっていると聞く。しかし、イギリスのような訓練を子供の頃から受けていないから、社会人としての教養が欠けている。能力がないのに高い報酬を得るとは、独裁国家の役人そのものではないか。無能集団がつくる新聞やテレビ番組は誰も見ない。だから視聴率は下がり、発行部数は低下の一途をたどっているのだろう。

コロナ禍でみな気分が落ち込む最中も、イギリスのテレビ局は前向きな話題を扱うようにしていた。朝からコロナワクチンの開発者が出演し、ユーモアを交えてワクチンの安全性や効果を語り、視聴者の不安を和らげる。室内でもできる運動、ネットの出会い系アプリの活用法、室内をリゾートに変えるインテリア、自分で切って大失敗した髪型、ニワトリの飼育方法……なんだか楽しい気分になれる特集であふれている。

ナチスの国土封鎖も経験したことがあるイギリスは、危機にあってもユーモアを忘れない。

日本の情報番組やワイドショーは、政治家の失言や芸能人の不倫報道を取り上げ、コメンテーターが上から目線でがなりたてる。森氏の揚げ足取りをして、いったい誰が幸せになったのだろうか。日本人は物事の優先順位のつけ方を誤っている。これで社会が明るくなるとは思えない。少しは建設的な議論をしてはどうか。

第五章　英国王室の危機

なぜイギリス国民はそんなに怒ったのか

二〇二〇年初頭にイギリスを最も賑わせた話題はブレグジットだと思われていたが、年明け早々に突然発表されたヘンリー王子とメーガン妃の王室離脱にニュースは独占されてしまった。連日朝から晩までメディアは王室問題を報じていた。

イギリス国内と海外では世論の反応がかなり違っている。

アメリカや日本では、「ヘンリーとメーガンは王室の人種差別があったから自分たちを守るために離脱を決断した」「非常に勇気ある行動だ」と、好意的にとらえられている。

ところがイギリス国内の反応は正反対である。イギリスの調査会社ＹｏｕＧｏｖの世論調査によると、「ヘンリーとメーガンが女王に事前通知しなかったのはおかしい」「二人は王室から追い出されてしかるべきだ」「警察の警備は不要」「イギリスの納税者は費用を負担すべきではない」という意見が、いずれも七〇％を超えていた。さらに「女王に対する扱いがひどい」「家と改修費用を返せ」が六〇％と、はっきりいって一般民は〝激おこ〟である。

イギリス国民の怒りを象徴するのは、離脱発表直後の女王の行動と声明である。「王室離脱」が発表された翌日、エリザベス女王は二日連続で自らランドローバーを運転してハンティングに出かけていた。

　その時の女王は九十三歳だったが、戦時中は軍用車両を整備して軍事訓練を受けていたミリタリー系女子。洋服やネイルよりマシンガンや狩猟、競馬を好む硬派な国家元首であり、個人的な楽しみよりも職務を優先する（そのためお洋服やパーティーが大好きなダイアナ妃とはまったく気が合わなかった）。ハンティングで鹿を撃つ際、ヘンリーとメーガンを意識していたかどうかはわからないが、直後に発表された声明を読む限り、その怒りは相当なものだったと思われる。

　以下は離脱直後にバッキンガム宮殿が出した声明の「直訳」である。

「サセックス公夫婦との議論はまだ初期段階です。彼らが異なったやり方をとりたいことは理解しますが、これは大変複雑な事柄ですので、方法を見出すには時間がかかるでしょう」

　イギリス人で経営学者の家人に〝翻訳〟してもらったところ、

「これはだね、『**われ、なにやっとんねん‼　ワイらの組をナメとんのか‼　どう落とし前をつけるつもりじゃ‼**』になりますね。岩下志麻さんに読んでもらうと臨場感が出るね」

とのこと。

イギリス人の気質は京都人に似ていて、現代っ子で単純思考のアメリカ人とはかなり違う。イギリス人の発言は常に行間を読まねばならない。激怒している時ほど、さらっと表現するので注意が必要である。

養ってくれている本家を無視して顔も出さない

イギリス国民がなぜ激怒しているか理解するには、ヘンリーとメーガンのこれまでの「やらかし」と「イギリス人にとって王室とは何か」を知る必要がある。

ポイントの一つは、王室の「家長」である女王陛下に対する敬意がまったく感じられないことである。女王にも周囲にも相談することなく、離脱のアナウンスをインスタグラムで勝手に発表してしまった。王室の広報ルールや承認フローをすべて無視してしまったのだ。

女王が超高齢のうえに、夫のエジンバラ公は最近具合が悪く、入退院を繰り返している。「お爺さんの具合が悪いのに、このタイミングでやらんでもええやん」というのが国民全体の偽らざる気持ちである。**イギリス人は病気や災害などで弱っている人に対して攻撃す**

ることは「フェアの精神」に反し、「非紳士的」な態度であると考えられている。王族は「紳士中の紳士」であるべきなので、絶対に許されない行為なのだ。

離脱を勝手に発表したのが兄嫁であるキャサリンの誕生日であったのも問題だった。**イギリス人にとって誕生日は、日本人が思っている何倍も重要な行事で、日本の冠婚葬祭にあたる。**親戚、小姑、舅姑の誕生日にはカードやプレゼントを欠かさずに盛大に祝わないと後で〝報復〟されることが多い。

ヘンリーとメーガンは、二〇一九年のクリスマスにも本家に顔を出さなかった。自分たちの資産があるのに、生活費を出しているのはメーガンにとっては舅のチャールズ皇太子であり、住居の改修費などは女王の資産からも出ている。日本で言えば、養ってもらっている本家の正月にも顔を出さない若夫婦といったところだ。

イギリス人はアメリカ人と違い、その考え方は日本人に近く、根回しや「お立場」というものをある程度は考慮する。新しいもの好きで、ロックや科学などの革新性を愛する一方、周囲の雰囲気や立場というものを考慮するので、革新的というよりは調整型の人々なのだ。ヘンリーとメーガンは、そういうイギリス人の怒りのボタンを連打してしまったのである。

王室ブランドで荒稼ぎ

二つ目は、ヘンリーとメーガンが王室を使って金儲けをする気が満々で用意周到だったからである。例えば彼らは離脱前から以下のような準備を行っていた。

・一年前からウェブサイト構築、ドメインネーム取得
・カナダのトロントにあるウェブサイト構築会社ArticleはTokyo Smokeという大麻販売会社のサイトも運営
・王族の肩書を商標登録
・王族の肩書で百以上の日用品を商品化
・ハリウッドや米政界とつながりが強い広報コンサルタントを雇用
・メーガンが女優時代から懇意にしている弁護士やコンサルタントと結婚後のビジネスや広報戦略を準備

王室関係の行政官どころか、当然女王にもチャールズ皇太子にも一切相談しておらず秘密裏に進められていた。一年前といえば彼らが結婚して一年ほどで、まだ新婚さんといっていい時期だ。そんな時期から準備していたとは、最初から王室をゼニ稼ぎの道具にする

つもりだったのかと不快に感じたイギリス人は多かった。

　そもそも結婚前からメーガンはビジネスに長けている。タブロイド紙「デイリーメール」二〇二〇年一月十八日の記事によれば、結婚前には彼女個人でFrim Framという会社を立ち上げ、ＴｈｅＴｉｇというライフスタイルのブログを運営していた。

　この会社は、もともとカリフォルニアで登録されていたが、二〇一七年にメーガンがヘンリー王子と婚約するとサイトは閉鎖され、会社はカリフォルニアでの登記を抹消し、デラウェアに移転している。デラウェアはアメリカの州だが、ここで登記されたビジネスは所有者の個人情報を明らかにする必要がない。節税やプライバシー保護を希望する世界中の富豪や起業家が好む登記先だ。デラウェアに登記移転後には声優業も業務として登録されている。また結婚後の二〇一九年には、レオナルド・ディカプリオやジェニファー・ロペスが顧客であり、ハリウッドの超一流芸能人やアメリカ政界御用達のSunshine Sachsという広告代理店を雇用している。この様な背景からもメーガンは結婚後のビジネス、芸能活動、政界進出に興味を持っていたことがよく分かる。

　またFrim Framの登記移転を裏づける事実がある。メーガンは、王族という肩書を使ってディズニーの社長に直に声優の仕事を売り込んでいる。ヘンリー自ら『ライオン・キング』の試写会に出向いて直営業に及んだのだが、あろうことか、そのために自らが元帥である王立海兵隊のIRA（アイルランド共和軍）テロ犠牲者の追悼式を欠席したのである。海兵隊は市民を守るために自らを犠牲にしてIRAのテロと戦い、市民も多数犠牲になった。

この事件でヘンリーはイギリスの全軍人を敵に回したばかりではなく、遺族も大変な衝撃を受けた。ヘンリーとメーガンにとっては、IRAテロの犠牲者よりもディズニーのほうが大事だったのである。

報酬は寄付するとしても、ディズニー側は広報的に莫大な利益を得ることになり、二人は「イギリス国民の税金」でアメリカの特定企業へ利益供与したことになる。これを日本に例えると、**皇室のメンバーが東日本大震災の慰霊祭を欠席して、中国のアニメ会社に声優として雇ってくれと営業に行くようなものだ。**

ヘンリーとメーガンは「公共財を私的な目的のために濫用しようとした」のである。王族の生活費や活動費は王族が所有する土地の家賃と税金で賄《まかな》われている。王族はイギリスの大地主である。ところがこの土地はもともと公共の資産であり、税金も公的なお金だ。つまり彼らの生活費や活動費は「公共財《みんなのもの》」である。

金にうるさいイギリス人は、「公共財」を悪用する人間を嫌悪する。政治家や役人の金銭にまつわる不正は何年にもわたって追及する。ヘンリーとメーガンは王族の肩書を勝手に商標登録し、個人的にグッズを販売しようとした。王族は公的なお金を使う以上、私欲を捨てて公に奉仕することが「期待」されているので、イギリス人が激怒したのだ。

「古くささ」と「非合理」こそ王室の存在意義

さらに二人は、もう公務はしたくないが、自分たちのカナダでの警備費や生活費は王室が出すべきだと主張している。そのくせ、豪華な休暇を楽しみ、芸能人とパーティーに出席。プライベートジェットに乗って「環境保護を訴える旅」に出るなど、やっていることと主張が矛盾しまくっている。

日本に例えてみると、老舗の次男の分家が本家の商売の邪魔をしたうえに、

「うちら分家で勝手に商売やらせてもらいますわ。だけどな、お手当は今までどおり頂戴します。不動産もいただきます。もちろん十四億円の別荘も！」

と言うようなものである。

王室離脱直後に放送されたＢＢＣの『クエスチョンタイム』という木曜日夜の政治討論番組では、スタジオに来ていた一般視聴者が「二人は莫大な生活保護をもらっている！」

と吐き捨て、盛大な拍手を浴びた。

王室というのは、伝統と古くささを看板に掲げている。伝統、権威、継続性、国民も外国人観光客も「古くさいこと」「非合理なこと」を期待している。それこそが王室の存在価値である。**合理性と変化が支配する世の中だからこそ「変わらないこと」に意義があり、それを維持することに人々は敬愛の念を抱くのだ。**

王室の一番のファンは、政治的正しさ（ポリティカル・コレクトネス）やフェミニズムを愛するはずのアメリカ人だ。毎年、莫大な数の観光客がバッキンガム宮殿に訪れる。アメリカの芸能記事ではイギリス王室が大人気。ＡＩやＩＴが支配する合理的なアメリカは、非合理で古くさい王室が大好きなのだ。

ところがヘンリーとメーガンは、王室の存在価値を否定するような行動を繰り返している。その象徴が彼らの結婚式だ。

結婚式は二〇一八年五月十九日、女王様が長を務めるイギリス国教会の総本山で執り行われた。プロテスタントの一派であるイギリス国教会の理念は「清貧」であり、信仰の基本を忠実にとらえ、無駄なものを削《そ》ぎ落とし、自らの心と神に真摯《しんし》に向き合う。まるで禅仏教に通じる精神である。装飾は極限まで少なく、歌は地味な聖歌（イギリス国教会で儀式の際に歌う歌）、教会で踊らない、司祭のお話は地味で感情に訴えない、教会内では静かにする……というのが基本だ。

ところが彼らの結婚式は、この伝統をすべてぶち壊すものだった。アメリカからやって来たアフリカ系の司祭がトランプ米大統領を非難する感情を込めまくった説教を行い、黒人聖歌隊がポップソングである「スタンド・バイ・ミー」を歌ってしまった。これは日本の皇室行事で、LEDライトで光る仏像をドローンで飛ばし、テクノをかけながら「安倍が悪い」と演説を繰り広げるのに近い。

しかしダイアナ妃の件を気にする女王は、若いカップルになんとか王室に馴染んでもらいたいがために、この式を全面的に支援したのである。

にもかかわらず、この夫婦はそのような心遣いや莫大な資産提供も無視。存在価値の根源である「伝統」を否定するという恩を仇《あだ》で返すような行動をとったのだ。

メーガン妃に向けられたエリザベス女王〝氷の微笑〟

結婚式もわがまま放題だったこの夫婦は、イギリス王室にさらなる試練を与えた。アメリカで放送された人気司会者オプラ・ウィンフリーの番組で二時間にわたるインタビューに応じ、イギリス王室は「差別的な機関」だと主張したのである。ある王族がヘンリー夫妻の子供の肌の色はどんな風になるかと尋ねたこと、お輿入《こし》れにあたっての振る舞いやマナーに関して何の支援もなかったことなどを暴露し、激しい差別を受けて精神を病み、メーガンは自殺すら考えたと話したのである。

チャールズ皇太子からの手当てが打ち切られたことについても不満を並べ立てた。ヘンリー王子には、エリザベス女王と母親のダイアナ妃から受け取った二十億円を超える遺産がある。

この夫妻のインタビューにおける発言にはウソが多い。婚約や結婚の際にはチャールズ皇太子と直々に打ち合わせを重ね、様々な支援を受けている。彼らは精神的に苦しめられていると主張しているが、王室の一員としてイギリスで最高の医療システムにアクセスすることができる。医師の治療を受けていないというのは非常におかしな話だ。精神状態が不安定なのであれば、そもそも医師はテレビ出演を禁止するだろう。しかも、プライバシーを守りたいといっている割にはテレビや週刊誌に出まくる。この夫婦は「矛盾の塊」なのである。

そして遂に、イギリス王室がコメントを発表した。イギリス人はアメリカ人のように大袈裟な表現は使わず、控えめで上品な英語で行間を読ませる。王室の声明はその典型だ。

声明は直訳すると「困難の全体像を知り家族全員が悲しんでいます。思い出は様々かもしれませんが、真剣に受け止め、家族内で私的に取り上げたい」というものでした。イギリス人が受け取るこの真意は――。

「困難の全体像を知り家族全員が悲しんでいます」の「saddened to＝悲しむ」は、「我々はカンカンだぞ！」と解釈するのが正しい。

「思い出は様々かもしれませんが、真剣に受け止め、家族内で私的に取り上げたい」の「recollections may vary＝思い出は様々かもしれない」は、「ナニでっちあげてるんだよ！」という意味。「be addressed by the family privately＝家族内で私的に取り上げる」は、「外でペラペラ話してるんじゃねえよ！」である。

声明全体を要約すると、「お前ら、しばいてやる！」。エリザベス女王は静かに激怒していたのだ。

ヤンキー夫婦が女王の曾孫に付けたキラキラネーム

さらに二人の間に誕生した第二子の名前をめぐってイギリスは大騒ぎになった。二人の間に産まれた女の子にはリリベット・ダイアナ・マウントバッテン・ウィンザーという名が与えられた。

「リリベット」はエリザベス女王が幼少時代、自らの名前「エリザベス」をうまく発音できず、「リリベット」と言っていたのを、女王の祖父であるジョージ五世が面白がってあだ名にした。その後も、夫となったフィリップ殿下が受け継いで、私的な場で使ってきた愛称である。つまり「リリベット」は、エリザベス女王と特別な関係にある者だけが使えるニックネームなのだ。しかも、「ダイアナ」はヘンリー王子の母親の名前である。

日本の皇室に当てはめると、「秋篠宮みっちー紀子殿下」「秋篠宮なるちゃん雅子殿下」「秋篠宮あきぴょん美智子殿下」みたいな感じだろうか。夫婦の感覚がどれだけオカシイかがよくわかる。**案の定、イギリス国民はドン引きしている。**

最近はイギリスも日本と同様に、スペルをわざと違えた名前や、意味がよくわからない名前をつけることが増えた。いわゆる「キラキラネーム」というやつで、日英ともにヤンキー系の親がつけたがる傾向にある。とうとう王族までヤンキー文化が侵食してきたか……と嘆く国民は多い。

イギリスはここ三十年の社会変化により、ヤンキー的な生き方やファッションが流行して、イギリス式エレガンスは絶滅の危機に瀕している。そんななか、王室には伝統を守る〝最後の砦《とりで》〟としての役割が期待されている。ところが、ヘンリーとメーガンはその希望すら打ち砕いた。

問題は赤ん坊の名前だけではない。夫婦はエリザベス女王にテレビ電話をし、「リリベット」の使用許可を得たと主張している。ところが、BBCなどメディアの取材により、これがウソだったと判明。夫婦は逆ギレしてBBCを訴えると言っているのだ。

イギリス王室の慣例として、たとえ王室のイメージを下げるような報道があったとしても「苦情を言わず、説明せず（never complain, never explain）」、つまり一切コメントしないという方針を貫いてきた。エリザベス女王は特にこれを徹底していて、ダイアナ妃がBBCのインタビューで不倫を告白した際にも、王室からコメントが発表されることはなかった。

しかし、やりたい放題の夫婦に、温厚で知られる女王の堪忍袋の緒もついに切れてしまった。『サンデー・タイムズ』によると、メディアに露出しては虚言をバラ撒く夫婦に対して、王室は反論していく方針を決めたという。目に余る夫婦の暴走に、王室と国は我慢の限界を超えてしまったのだ。イギリス王室の歴史を揺るがす大事件にほかならない。

皇室をいただく幸運

王室を支持してきた保守系の新聞にも王室不要論が掲載されるほど、イギリス王室はダイアナ妃の死後最大の危機に直面しているのである。高齢の女王は父王の死後、二十代で王位を継ぎ数々の危機を乗り切ってきたが、九十歳を越えてこんな状況になるとは想像もしなかっただろう。そうして女王亡き後に王となったチャールズ三世も、支持率が低下する中で、王室のあり方に関して頭を抱えているのだ。

イギリス王室は国民の信頼を取り戻し、この危機を乗り越えることで国体を維持しなければならないが、その切り札は、チャールズ三世の息子のウイリアムの早期即位だと言われている。

一方で、日本の皇族は自らの役割を理解している方々ばかりである。過密な公務をこなし、その合間に学術研究、芸術活動など非常に知的な活動を行っておられ、芸能人と派手なパーティーに出席するような方も皆無である。

天皇皇后両陛下は常に国民の幸せと平和を祈り、国家の繁栄を祈っている。このような皇室を持つ日本に生まれた我々は、自らの幸運を自覚するべきだろう。

王室が抱える「もう一つの爆弾」アンドリュー王子

イギリスは二〇二二年の年明け早々、チャールズ皇太子（当時）の弟であるアンドリュー王子の裁判をめぐり騒然となった。前述したようにここ数年、イギリス王室を賑《にぎ》わせてきたのは〝お騒がせ夫妻〟ことヘンリー王子とメーガン妃である。しかし、それ以上に王室を揺るがしかねない〝爆弾〟が、エリザベス女王の次男、アンドリュー王子の「ロリータ・エクスプレス」をめぐるスキャンダルなのだ。

アメリカの実業家ジェフリー・エプスタインは、長年にわたって大規模な児童買春の斡《あっ》旋《せん》や未成年に対する性的虐待を行い、二〇一九年夏に逮捕されたが、その一カ月後に独房内で謎の死を遂げている。エプスタインのプライベートジェットは、顧客を乗せて、少女たちが待つ自身の別荘まで移動させていたことから、「ロリータ・エクスプレス」と呼ばれていた。

エプスタインの「顧客リスト」には各国政財界の大物が並ぶ。ビル・クリントンやドナルド・トランプ、トニー・ブレアら大統領・首相経験者。ウディ・アレン、ハーヴェイ・ワインスタインなどハリウッド関係者。ルパート・マードック、マイケル・ブルームバーグら大手メディア創業者。さらにはケネディ家、ロックフェラー家、ロスチャイルド家といった名門一族まで含まれていたため、欧米では大騒ぎになっている。

エプスタインと非常に懇意だったセレブの一人が、アンドリュー王子にほかならない。

「ロンドンのナイトクラブで」

二〇一四年、フロリダ州で訴訟が起こされた。原告女性のバージニア・ジュフリー氏は、十六歳からエプスタインの所有するスパで働いていたが、有名人に性的サービスを提供するための訓練を受けたという。その後、一九九九年から二〇〇二年にかけて、エプスタインが所有するカリブ海の島で多数の著名人と性交渉を持ったと述べている。その一人がアンドリュー王子であり、訴状にはどんなことが行われたかの詳細が記載されている。

ジュフリー氏は結婚してオーストラリアで暮らしていたが、ＦＢＩから、十年以上前の疑惑をめぐって証人となるよう要請された。以降、数々のメディアで自身の体験を語っている。アメリカの新聞『マイアミ・ヘラルド』がジュフリー氏のインタビューを公開しているが、明瞭かつカジュアルに事件が語られている。彼女の話は論理的で時系列にも整合性があるので、語ることの多くは事実なのだろう。

この訴訟を受けて、アンドリュー王子は一貫して無実を訴えてきたが、二〇一九年に事態は急転する。ジュフリー氏がＢＢＣに出演して、未成年だった頃にアンドリュー王子とロンドンのナイトクラブで性的交渉を持ったと証言したのだ。

インタビューでは、「ナイトクラブで踊っているとき、王子は汗だくで気持ち悪かった」などと具体的なエピソードが語られている。これに対して王子側は、「汗が出ない病気にかかっていた」「ナイトクラブにいた時間は、サレー州のピザ屋で娘とピザを食べていた」と反論したが、苦し紛れのアリバイづくりという印象は拭《ぬぐ》えない。インタビューが公開された後、王子は公務から退き、多くの団体がアンドリュー王子との関係を解消することになった。

アンドリュー王子はＢＢＣのインタビューで、自身がエプスタインと親交があること、娘のベアトリス王女の十八歳の誕生日パーティーにエプスタインを招待したことは認めている。しかし、性的虐待への関与は強く否定している。

児童虐待は強盗より重い罪

そんななか、FBIによる捜査が進展したことから、二〇二二年にアンドリュー王子がアメリカで陪審員に裁かれることになったのだ。

アンドリュー王子は法廷で証言をすることとなった。タブロイド紙『デイリーメール』の二〇二〇年十二月十二日の記事によれば、先んじて行われたテレビのインタビューで、犯罪が行われた時刻にはイギリスの激安ピザチェーン店ピザエクスプレスでパーティーをやっていたと述べたため、同席していたと証言したアンドリュー王子の娘であるベアトリス王女がアリバイの証人になるという憶測も出ていた。イギリスの王族がアメリカで裁かれ、王族が証人となる――歴史的な事件となるわけだ。

王室は年明け早々、アンドリュー王子の「His Royal Highness（殿下）」という肩書き、イギリスにおける軍事的な役割、非営利活動に関する役職などはすべて女王に返上し、「彼は一介の私人としてこの訴訟に臨むことになります」と述べた。アンドリュー王子は王室をクビになり、「平民」にされてしまった、ということになる。「殿下」という肩書きは公の場での使用が禁止される。

日本の皇室でいえば、「○○宮△△殿下」が宮号を剝奪されて「△△」と呼ばれるようになり、すべての非営利団体の役職を解任され、公務にも一切関わらなくなるということである。

これを受けて王子が関わっていた数々の非営利団体やクラブは王子の名前をウェブサイトや印刷物から迅速に削除した。なかには、ロイヤルアスコットゴルフクラブや軍関係の組織が含まれている。

報道によれば、王室はアンドリュー王子を追放するかどうかでかなり迷っていたが、このままでは王子の今後が裁判の結果に委ねられてしまうことになるため、訴訟の前に王室と切り離すことを決めたという。民事訴訟の結果が王族の立場を左右するというのは、あってはならないことなのである。

イギリスのタブロイド紙『デイリーメール』が王室関係者に取材したところ、この決定の背景にはエリザベス女王だけではなく、チャールズ皇太子やウィリアム王子の強い意向も働いたとされる。いわば「家族会議」でアンドリュー王子の処遇を決めたのだ。

王位継承権を有する王族が肩書きを剝奪され、一族から追放される――イギリス王室の長い歴史のなかでも滅多にあることではない。そもそも王族が、児童虐待や大規模な人身売買に関わっていたこと自体、国を揺るがす大スキャンダルである。王族というのは不可侵の存在。その権威を失墜させる非常識きわまりない行為だ。

欧米では、児童虐待や人身売買を行った者は厳しい目を向けられる。BBCがジャニーズを告発したこともその表れである。児童虐待に手を染めた犯罪者は、刑務所内でリンチに遭って殺されることも少なくない。窃盗や強盗など〝通常の犯罪〟よりも重く、許しがたいことという感覚なのだ。理由としては、奴隷制という歴史への反省、そして現代においても発展途上国や恵まれない経済状況の人々が人身売買の犠牲者になることが多い社会背景がある。

日本ではほとんど報道されないが、東欧やアフリカ、中東から人身売買で欧州や北米に連れてこられる女性や児童は実に多い。クリーンなイメージがある北欧でも、人身売買でアフリカから連れてこられた女性たちが風俗産業に従事している。

例えばクリーンなイメージのフィンランドやデンマークでさえ、人身売買で連れてこられたタイやナイジェリア、東欧の女性がサービスを提供する風俗店がある。ドイツの場合は主要都市の駅前に売春宿があり、顧客は女性達と自由交渉することでサービスを受けることができる。働く人の多くはやはり外国人だ。

この様な店は欧州中にあり、デリヘル形態の場合も多い。この様な風俗店はメディアや人権団体が取り上げることは少なく、半ば無視されている。**欧州の人々はLGBTQや女性の権利に関しては大げさに騒ぐが、人身売買で連れてこられた途上国の女性は無視しているのだ。**

その一方で、性的なスキャンダルに対する社会的制裁は苛烈である。これはある意味二枚舌と言えるかもしれない。既婚者の不倫や未成年との性交渉は、犯罪として立件されなくとも社会的に抹殺されてしまう。日本人は政治家や芸能人の不倫を〝文春砲〟で楽しむ余裕がある。対してキリスト教プロテスタントの価値感が強い欧州北部や北米では、多くの人々が婚外交渉に抵抗感を抱いている。アメリカの南部には、いまだに婚前交渉すら否定する人たちが多い地域もある。

宗教的な縛りが強い欧米は、性にオープンな日本とは異なる。風俗産業も存在はしているが、日本のように表通りにあるわけではなく、郊外の隠れた場所にあったり、チラシなどを配ってこっそりと営業していたりする。そしてこっそりとサービスを使っているわけだ。

高まる王室廃止論

アンドリュー王子のスキャンダルを受けて、イギリスでは王室廃止論を叫ぶ声が大きくなった。ヘンリー王子とメーガンはイギリス王室のイメージを悪化させたが、エリザベス女王やチャールズ皇太子は「わがままに振り回される被害者」の立場だったので、同情する声が聞かれた。ところがアンドリュー王子の場合、最初の告発があった二〇一四年から王室は彼をかばい続けてきたため、今になって大変な批判にさらされているのである。

カネにシビアなイギリス国民の関心は、王子に拠出されている税金がどうなるかに注がれた。報道によれば、王子の警備費用は一年間に三億円ほどかかっている。イギリス内務省の元高官は、王子が平民になったら、このような高額な費用の拠出は許されないと述べた。しかし、イギリス政府は警察などを使って、なんとか王子の警備を継続するだろうと囁《ささや》かれている。イギリス国民が怒るのも無理はない。

王子の家族にも国民の怒りの矛先が向かっている。アンドリュー王子の二人の子供は王族としての肩書きで利益を享受し続けている。離婚した元妻、サラ・ファーガソンも相変わらず元王族という肩書きを利用してビジネスで成功し、最近では女王の許しを得て再び王室に出入りし始めていたからだ。

二〇二二年二月に王子はジュフリー氏が設立した被害者権利の慈善団体に「多額の寄付」を行うという条件で和解し、訴訟は取り下げとなった。この寄付のお金も女王が出したものだ。イギリスでは生活が厳しい人が多いので、金で被害者の口を閉ざすのかという批判が高まった。

「ノブレス・オブリージュ」を持たざる者

イギリス国民にとって、ウクライナ情勢に並ぶ最大の関心事は、急激なインフレにともなう物価の高騰だ。

イギリス統計局の調査では、イギリスで最も安いパスタの値段が前年比で四〇%も上がってしまった。パンは一六%、米は一五%の上昇である。家計に占める食費の割合が高い低所得層や年金生活者には大変な打撃となっている。

食料品だけではない。燃料価格が上昇しているため、あらゆる物品のコストが上がっている。ガソリンに至っては、一リットル三百円ほどになってしまった。インフレ率が給料の上昇率を大幅に上回っている。

コロナで仕事を失った人や、事業が倒産の憂き目に遭った人も大勢いる。物価高が生活を襲うなか、国民の怒りは十分な対策をとれないでいる政府に向けられている。

ボリス・ジョンソン首相（当時）をはじめとする閣僚が、コロナのピーク時にルールを破ってパーティー三昧だったことも報じられた。これは「パーティーゲート事件」と呼ばれた。保守党はジョンソン首相の信任投票（二〇二二年六月六日）を行ったが、実に四〇％以上の議員が不信任に投票した。

それでも過半数を得てクビを免れたボリスだったが、その不人気ぶりを象徴していたのがエリザベス女王の在位七十周年イベントである。四日間にわたって開かれたイベントの一つが、セントポール寺院での記念式典。ジョンソン夫妻は入退場の際、一般の人々から罵声《ばせい》を浴びせられた。

ところが、そのジョンソン首相夫妻以上の罵声を浴びた夫婦がいる。アメリカのテレビ番組や暴露本でイギリス王室の悪口を垂れ流し続けていたヘンリーとメーガンにほかならない。ヘンリー夫妻はイベントに合わせていけしゃあしゃあと帰国。エリザベス女王や王族たちと面会できるメンタルは称賛に値する。

イギリス人が最も嫌うのは、ウソをつくことである。イギリス国民は「公正」「透明」であることを求める。とくに上流階級は、誠実かつ潔白でなければならない。豊かさを享受しているのだから、民のために働く義務、つまり「ノブレス・オブリージュ」（高貴なる者の義務）の精神が大切だと考えられているのだ。

誠実であって初めて、国民から信託を受けた税金や資産を丁重に取り扱い、国に繁栄をもたらす——。イギリス人はそう思っている。

エリザベス女王はつねに誠実であり続けた。真面目に公務をこなし、世界におけるイギリスの威信を高めてきた。第二次世界大戦や植民地喪失、最近ではＥＵ離脱などの困難もあった。それでもイギリスは、女王の力強いリーダーシップの下で戦前以上の豊かさを享受してきたのだ。

在位七十周年のの記念式典でも、エリザベス女王は国民によって盛大に祝われた。普段は王室に反対している左翼の人たちといえども、エリザベス女王には尊敬の念を示した。

対照的なのがヘンリー夫妻である。カネに目が眩《くら》んだのか、ウソだらけの暴露本やインタビューで王室を貶《おとし》めて私利私欲に走る。環境に配慮していると言いつつ、毎回プライベートジェットや燃費の悪いランドローバーで移動して二酸化炭素を大量に排出する。コロナで国民の生活が苦しい時に、経済格差を懸念するフリをして豪奢な生活を享受する――。要するに偽善者なのだ。

日本よりはるかに変化のスピードが速く、人々の多様化が著しいイギリスにおいて、国民は自分たちを一つにまとめる「象徴」を強く求めている。王室の記念日や行事、儀式は節目節目で人々の記憶に刻み込まれる。「共同体験」としての王室の価値が、いま高まっているのだ。

だからこそ、二〇二二年六月三日の在位七十周年祝典も盛大に祝われ、エリザベス女王に向けられる愛情とジョンソン首相の嫌われぶりの対比が際立ったのだ。そして、王室を破壊しようとするヘンリーとメーガンへの怒りが爆発した。

日本社会もイギリスと同様、近年は社会の変化が激しくなっている。そんな今だからこそ、いつまでも変わらない皇室はかけがえのない存在なのだ。政治がどんなにひどくても、皇室がそこにある限り、日本は美しい国であり続ける。

日本人にとって「心の拠り所」「心の故郷」である皇室を我々は守っていかねばならない。

英王室の気骨を体現していたエリザベス女王

エリザベス女王の訃報（二〇二二年九月八日逝去）は世界中に衝撃を与えた。

女王陛下の健康状態は、前年から国民の懸念事項であった。歩行が困難との理由で、たびたび公務欠席も報道されていた。時おり見かける女王陛下の姿からは、かつての元気が感じられなくなっていた。笑顔は消え、生きる望みを失ってしまったような印象すら受けた。エリザベス女王を悩ませ、悲しませる出来事が続いたせいではなかろうか。

第一に、長年連れ添った夫のフィリップ殿下を前年四月に亡くされたこと。フィリップ殿下の死後も、女王は公の場で殿下の杖をお使いになっていた。女王の喪失感は察して余りある。

第二に、王室をめぐるスキャンダル。米国メディアでイギリス王室をウソで貶《おとし》めるヘンリーとメーガン夫妻の存在。そして、アンドリュー王子の性虐待疑惑である。

第三に、コロナ禍。女王もコロナに感染したが、高齢の身体に相当な負担がかかったことは想像に難くない。中国発の疫病は、女王陛下の命も縮めてしまった。

第四に、ロシアのウクライナ侵攻。女王は第二次大戦の経験者で、つねに世界の平和と安定を祈念していた。プーチン大統領の決断はショックだったに違いない。

新たな旅立ち

女王陛下の逝去をイギリス国民はどう受け止めたか。昭和天皇が崩御したときの我が国の雰囲気とはずいぶん異なるものだった。

イギリスは服喪の期間が短く、逝去から葬儀までの十日間である。休日となるのは葬儀が執り行われた二〇二二年九月十九日のみ。サッカー「プレミアリーグ」の試合は二日間中止となったが、ミュージカルや音楽イベントはいつも通り行われていた。

駅やスーパーには女王の写真つきで「お悔やみ」が貼り出されていたが、笑顔でカラフルなドレスに身を包む姿などの写真が多く、決して暗い雰囲気ではない。「女王の新たな旅立ちを祝う」といったイメージである。

さてここで、現地ではどの様な様子だったかを明記しておきたい。

当初は医師が女王様の容体に関して懸念があると言う報道だったのだが、ＢＢＣや民放のテレビ局のアナウンサーが喪服になり、ＢＢＣが昼の番組を止めてすべて特番になってしまった。夜親族が全員集まったところで崩御のアナウンスがあるかもしれないなと思っていたら、実際にそうなってしまった。女王様の容体は実は前年からあまり芳しくなく、歩行が困難なために公務を欠席するということが何回か続いた。その中でもかなり容体が悪いのではないかという噂が広がったのは、女王が国会の開催を、その長いキャリアの中において初めて欠席した件からである。在位七十周年記念のイベントの際には外には出なかったものの、テラスからイベントをご覧になるという状況だったので、まさかここまで容体が悪いと思った人はそれほど多くはなく、大変な驚きを持って迎えられた。

しかし、日本より雰囲気は明るめとはいっても、女王と言う国のシンボルを失いイギリス国民はかなりの衝撃を受けていた。何せほとんどの人が、エリザベス女王がいない時代というのを経験していないのだ。先代のジョージ六世が在位していた頃を覚えている人というのは今の八十代以上。ほとんどの世代が「エリザベス女王＝イギリスの統治者」という意識である。

しかも日本とは異なり、イギリスは切手、お札、ポスト、歴史的な建物など、ありとあらゆるところにエリザベス女王のお顔や紋章がついている。日常生活のデザインとしてエリザベス女王様が溶け込んでいるのである。崩御されたのでこれらの多くがチャールズ王に変更になったが、二〇二三年の現在でも国民の違和感は凄まじい。

私は崩御後にバッキンガム宮殿の周囲の様子を見てきた。エリザベス女王の棺が設置されているイギリス議会があるウエストミンスターは二〇二二年九月十六日金曜日の時点で列が七キロぐらいになっていて、待ち時間が二十時間と言われていた。腰痛持ち、痔主である自分にはあまりにもキツそうなので並ぶのは諦めた。列がユルユルと動いているので、椅子やテントの持ち込みがかなり難しい。さらに、あの辺りは売店がなく、日本と違って自販機は皆無だ。並ぶ人は食料を持ち込んでいた。だが野外フェスや大規模イベントが得意なイギリスだけあり、しっかりとした野外トイレは提供されていた。これはイギリスの音楽フェスでは定番で、日本の野外トイレよりも立派なもので、手洗い場もついていて頻繁に清掃されている。トイレがあるところには大きな旗が立っていてトイレと書いてある。トイレの周りにはウッドチップを撒いて滑らないようになっているのである。これは日本のイベントも見習ってほしい部分だ。

そしてイギリスなので突然の雨！　雨の中並んでいる方がほとんどであった。日本と違い九月のイギリスの夜はかなり寒く、東京の十二月並なので、ダウンジャケットやセーター必須であり、多くの方は登山の装備である。

地方や外国からも大勢の一般人が

しかし実際行って見ると予想とはだいぶ違ったこともあった。まず私が一番驚いたのは女王様に献花に行く方や列に並ぶ方の数であった。自宅があるロンドン南部の郊外から電車に乗って、まずはビクトリア駅に行った。ここは、平らで広い道をバッキンガム宮殿へ歩いて十分ほどにある駅で、ロンドンのターミナル駅である。ただし東京に比べたら随分こじんまりしている。ところが驚くべきことに、この駅に到着する電車の乗客の八割ぐらいが追悼に行く方だった。普段はこの電車は通勤電車で、昼間はガラガラである。この日は乗車率が一〇〇%を超えていて驚いた。

聞き耳を立てていると、乗っているのは地元の方ではなく、地方から来た方や外国人が多い。郊外で宿をとったり、地方から特急に乗ってきて乗り換えたらしかった。日本のような新幹線がないので、昔ながらのディーゼル列車に五時間も六時間も乗ってきたわけだ。イギリスの鉄道運賃は大変高く、数カ月前の予約なら割引になるが、当日や直前は高い。仙台のような距離感の地方都市からロンドンに来るのに往復四万円以上かかる場合もある（繰り返すが新幹線ではなく古いディーゼル車である）。それだけの費用をかけてやってきた人が大勢いたわけだ。王室廃止論が盛んになっていたのに、こんなに追悼に来る方が多いということにエリザベス女王の人気とカリスマ性を再確認する。

家からお花を手にしている方も多かった。自分の庭の花を摘んできた人もいた。丹精込めて育てたと思われる美しい花だった。郊外の駅でもビクトリア駅でも一つ三千円ぐらいの花束を大量に売っている。イギリスの平均賃金は日本とあまり変わらないが、物価高なので大変な出費になる。ヒマワリ、バラ、スイートピーなどありとあらゆる華やかでカラフルな花だらけで、白が少なく菊は皆無。旅立ちを祝う華やかさだった。ピンクや紫が好きだったエリザベス女王にぴったりな色がアレンジされていた。

その次に驚いたのは追悼に訪れる方の雰囲気であった。非常に穏やかで秩序がある感じの子供連れや中年以上の方が多かった。皆さん悲しむという感じよりも、大往生したエリザベス女王をお祝いしましょうという雰囲気で、湿っぽさがなかった。電車に乗り合わせた人々は、一緒におしゃべりをはじめて和気あいあいと楽しくやっている。エリザベス女王が縁を取り持ってくれた人々だ。昭和天皇の大喪の礼を覚えている自分としては随分雰囲気が違うなと感じた。

これはイギリスの死生観の違いも関係あるかもしれない。普段のお葬式でも日本よりも湿っぽい感じはあまりなく、割とさらっとしている。「天国に行く旅立ち」なので永遠の別れというよりも「旅立ちをお祝いしましょうね」という感じなのだろう。現世での苦しみから逃れて天国で楽しくやってください。なんとも明るい死生観だ。やはりキリスト教の国なのだ。

さらに私が感心したのは、ビクトリア駅周辺からバッキンガム宮殿、グリーンパーク、国会周辺の警備体制と運営である。基本的にお悔やみに訪れた方々の仕切り、警備、お葬式の準備はかなり前から計画されていたこともあるが、イギリスの野外フェスのやり方に沿っている。人の移動を入念に考えてあり、一方通行や歩行者天国のエリアをたくさん作って、人がスムーズに移動できるようにしてある。これはやはりサッカーの試合や音楽フェスでの事故の経験を生かしているのだと思う。イギリスは一九八〇年代にサッカー場で大規模な将棋倒し事件があって、大勢の方が亡くなった。警備の研究や大規模イベントの研究をやってきた成果が発揮されている。行き先の看板も英語が読めない人でもわかるように絵で書いてある。外国人も多いので、これはなかなか良いアイデアだ。追悼には世界各国から人がいらっしゃる。

バッキンガム宮殿前には数千人の人が並んでいたのだが、仕切りが大変効率的なせいか、宮殿前の公園に伸びていた列はどんどん進み、なんとたった三十分ほど並んだだけでバッキンガム宮殿の前にたどり着いた。列に並んでいる人は、平日だったこともあって、ほとんどの人は中年以上、女性が七〇％ぐらい、男性が三〇％ぐらいであった。やはり王室ファンは女性が多い。

並んでいたのが、白人が大半だったことにも驚いだ。ロンドンは南アジア系やアフリカ系が近年は多く、二〇二一年の国勢調査によれば、白人の比率が五三・一％にしか過ぎない。そしてロンドンの人口の半分近くが外国生まれである。またイギリス全体でイスラム教徒は六・五％、ロンドンは一五％である。地区によってはイスラム教徒が半分以上になる。南アジア系（インド系やパキスタン系）はロンドンの場合二〇％、アフリカ系は一三・五％になる。ロンドンは歩いても白人がパッと見で一〇％もいない。地区によっては白人が皆無の場合もある。この日のバッキンガム宮殿前は、普段のロンドンとは光景が違う。なんだかイギリスであってイギリスではないような光景だ。列に並んでいるイギリス白人多くは、話している言葉がロンドンの言葉ではない。かなり訛《なま》っていて何をいっているのかわからない。全国から上京してエリザベス女王の葬儀を見ようという人が多いようだった。

しかし列に並んでいる白人全員がイギリスの人々だというわけではない。聞き耳を立てていると何とイタリア語やフランス語が流れてくる。その他にもスペイン語やポルトガル語、さらにアメリカやカナダの英語も流れてくる。東欧の言葉も耳に入る。なんとこの葬儀のために世界中から人が集まってきているわけだ。このような機会に驚かされるのは、イギリスの王室の欧州大陸における人気の高さだ。欧州大陸の多くの国は王室を廃止してしまったわけだが、それでも王室が大好きという人も多い。特に女性の間では大変人気が高く、最も王室好きなのはイタリアだ。

弔問者とのおしゃべりに興ずる

欧州大陸ではイギリスの歴史ドラマや『ダウントン・アビー』などの貴族物のドラマが人気があるが、王室ファンはそれらドラマを見るファンと思いっきりマッチしているのだ。これは『ダウントン・アビー』の映画版を観にいってわかったのだが、劇場に来ている人はイギリスの人だけではなく様々な国の中年以上の女性で、欧州大陸の人も結構いる。日本だと韓流ドラマにハマる層と似ているかもしれない。

また追悼に来ていた人にはアメリカやカナダそして南米などから来ている王室ファンが

大勢いた。バッキンガム宮殿前でキャンプをしていた多くはアメリカ人とカナダ人だった。実はもともとイギリス王室のファンベースの大きな部分を占めるのはアメリカである。ついでカナダで、なんとメキシコやプエルトリコ、チリ、ブラジル、アルゼンチンといった国の人々もイギリス王室が大好きである。王室のイベントがあるとわざわざ飛行機に乗って見に来る人が大勢いる。特にイベントの会場前で何日も徹夜するような熱心なファンにはアメリカ人やカナダ人が少なくない。

やはり自分の国に王室がなく、伝統文化もないため、イギリス王室に魅力を感じる方が非常に多いのだ。『ダウントン・アビー』『The Crown』『英国王のスピーチ』といった映画やドラマも、実はアメリカ人の視聴者が多い。『ダウントン・アビー』の舞台となったハンプシャーのハイクレア・カースルを訪れる観光客は実はアメリカ人だらけだ。『ダウントン・アビー』のキャストも、イギリスよりもむしろアメリカでの方が人気がある。王室関連グッズの売上もアメリカが大きく、実はイギリス王室の最大のお客様はアメリカ人。王室が大好きなアメリカ人がイギリスを訪れるので、観光業に対する王室の貢献は大変なものがある。これは中国人がやたらと日本の皇室が好きなのと大変似ている。

アメリカ人はイギリス王室が大好きなので、アメリカ人であるメーガンがヘンリー王子のお嫁さんになったということはアメリカにとって大変な事件だったわけだ。封建主義を否定して建国されたアメリカやカナダのような国がどうしてこんなに王室に興味を持つかというと、やはりその華やかさや、王様やお姫様、お城への憧れがある。時代は移り変わっても、やはり女性はキラキラした美しいものが大好きだ。日本の女性も平安貴族のお話や、海外の王様やお姫様の話が大好きだ。女性は歳をとっても心の中は少女。美しいドレスや王冠は何歳になっても憧れの的だ。

さらにイギリス王室の昼ドラ的な展開もこれらの国々の人々の興味を惹きつける。特にやはりチャールズ国王とダイアナさんの関係、王室を襲った悲劇、そして現在ではヘンリーとメーガンをめぐる王室のあれこれが、終わることのない連続ドラマ状態になっているので目が離せない。家の存続、姑との関係、嫁の立場、こまった子供たちなど、王室であっても一般庶民の家族関係の悩みと似ているようなところもあり、女性は共感を覚えるポイントが多い。私はバッキンガム宮殿の前で突然、道を聞かれたイタリア人のリリーさんとちょっと王室ネタの立ち話をしただけですぐに意気投合してしまった。リリーさんは四十代後半の私よりおそらく十五歳ぐらい年上で初対面の方。女王様の葬儀を見たいあまりにニュースを聞いてトリノから飛行機ですぐに飛んできたそうだ。

「私はね、女王様の威厳、ダイアナとの関係、あの仕事ぶり、本当にね、全てが好きなのよ。イタリアはイギリス王室が大好きな人が多いわ」

と語るリリーさん。

「そうよね、ダイアナさんは苦労しましたね。女王様もあんなに苦労して……」

などと、いかに女王様が優秀な方でどれだけ苦労してきたか、ダイアナさんがいかに気の毒だったか、ヘンリーとメーガンについてどう思うかなどについて初対面なのに思いっきり話が弾んでしまった。私はイタリアに四年間住んでいたので、それもありイタリア語と英語を交えての会話だ。リリーさんは実はバーミンガムに二十年間住んでおられたそうだが、イタリア人の旦那さんと結婚。どうしても旦那さんがイタリアに帰りたいと言うので、イタリアに戻って子育てを終えたという方だった。息子さんはイタリア空軍の軍人さんである。

「あなたね、イタリア人の男と結婚して大失敗よ。選ぶのを間違えた。イングリッシュにしておけばよかったわよ。だめよ、イタリア人の男は！」

王室話の他に、いきなり私生活のぶっちゃけ話が始まり旦那の悪口が始まる。大体イタリア人の女性が「イタリアの男は駄目よ！」と話し始めるのは定番で、それは何故かというと、非常に浮気症の人が多いからだ。女性関係で悩むイタリアの奥さんは多く、かと言って離婚はカトリックの国で結構面倒くさいので、仕方なく浮気症の旦那と同居しているという方もかなり多い。隣近所親戚がうるさいので、世間体もあるから離婚できない。この辺の離婚しない理由というのは非常に日本に近いものがある。さらにイタリアの男性は家事が大嫌いな人が多く、日本の男性以上に家のことをやらない人が多いのでその愚痴も入ることが多い。この調子なので、実はオランダやイギリスの男性はイタリア人女性に人気がある。イタリア人に比べると、堅物で退屈、踊りもファッションも酷いので、浮気のレベルと頻度が低いからである。

話が佳境に入ってくると姑の悪口も始まる。イタリアの家族関係が非常に濃いので親戚との関係に関する悩みも多い。週末は義理の家族や自分の家族のところに行って、必ず食事をするというような距離の近さなので、揉め事が多い。この様な家庭のアレコレを、不倫、できの悪い息子、厳しい義母、うるさい義父、借金だらけの親類などイギリス王室のスキャンダルに重ねる人は多い。

イギリス王室を自分の生活に重ねるのはイタリア人だけではない、この列に並んでいる間に、リリーさんの他に、インドやタイ、カナダなどの方とも王室ネタで盛り上がった。

「本当にね、急に亡くなられてびっくりしたわよ〜。百十歳ぐらいまで生きると思ってたから。あら、あなたもそう思った？　そうよねぇ〜。本当にびっくりだわよ」

「棺が置かれている会場が素晴らしいわ」

「お花が華やかでいいわ」

「ご葬儀の際にはどんな感じのパレードになるんですかね」

「あなた、葬儀の霊柩車を見たかしら。あれば透明度が高くていいわ」

「イギリス国教会の公式でやるのかしらね。私の国は違うからね、どんな感じか興味があるわ」

「イギリスのお金の肖像が今度はチャールズさんになるの。なんかね〜、しばらく慣れないわよねぇ〜」

などと葬儀のネタでも話が弾む。これはまさに日本で誰かの葬儀に参列したときと全く同じ。祭壇の飾り付けがどうだったとか、参列者がどのぐらいだとか、お経の読み方がどうだったなど、日本でも知らぬ者同士で話が盛り上がるもの。やはりどこでも葬式ネタ、不倫ネタ、人の家のゴタゴタは盛り上がる万国共通のネタだ。こういう話を通して世界各国の中年女は連帯感を持つのだ。人間はどこでも同じだ。

月曜日の葬儀の日に備えてバッキンガム宮殿前にはテントやキャンプ用の椅子持参の方々が二十名ほどいた。なんとその半分はカナダから来た王室ファンであった。しかも女王様が亡くなった直後に渡英してきて、ずっと路上で野宿。ロンドンはもうこの時期は夜は結構寒く、気温が十度以下になることもある。なんという体力だろう。簡易なテントと寝袋だけで過ごしているのだ。トイレはイギリス政府が設置したものがあるが、水道やシャワーはない。時々かわりばんこに、水がある場所まで行って歯を磨きに行ったりしている。はっきりいって日本の皇室ファンよりも熱意と体力がすごい。

テントは手作りの国旗、キルト、看板などのオブジェで埋め尽くされている。手作りクラフトが好きな人も多いのだが、日本のコミケ界隈の推しの応援に似ている。私たちがしゃべっていると、次々とコーヒーやらスーパーの袋に入った食べ物を寄付していく人たちがいる。野営組を見かけた見ず知らずの人たちが、おしゃべりするついでに色々と食べ物を持ってくるのである。もちろん持ってくる人の大半もおばさまだ。

「あなた、ちょっとこれ食べてちょうだいね。あらー、ここは寒いでしょう、大変ね。何？カナダから？　すごいじゃない？　あなたダイアナのことはどう思う？」

と会話が弾む。そしてまた見ず知らずの人同士で、どんどんとおしゃべりをして友達状態である。

野営しているイギリスの中高年の方々もいたが、これがまた愉快な人々であった。イギリス国旗の帽子とTシャツを身につけたジョンさんは七十代ぐらいだったが、

「俺はさー、バーミンガム出身なんだけど、ロンドンでずっと働いてたんだよ。俺はここでね、木曜日から待ってんの」

と実にフレンドリーに話しかけてくれて、日本でメルマガや本に書いてもいいかと言うと大喜びで「是非頼むよ〜」と大興奮。その隣にいたジョンさんは六十代ぐらいの方だったが、これまた陽気な方で東ロンドンの下町言葉でしゃべりまくる。

「何？　ジャパンから来たのか〜？　俺もだよ俺も」

などと冗談を飛ばしながらガハハと笑う。ちなみにジョンさんは歯が抜けていてほとんどない。このイギリス組は実は普段から路上生活であるらしい。

「俺たちは普段からこの調子で暮らしてるからね〜。風呂も水道もねぇよ！」

どうも彼らはプロの野宿生活の方々だったようだ。

恐るべし、英王室の「ソフト・パワー」

このようにイタリアの旦那の文句から葬式の話まで瞬時におしゃべりし合う世界各国の女性、プロ路上生活者の方々も連帯させてしまうイギリス王室とエリザベス女王。まさに「草の根外交」である。私が学生で国際関係論を学んでいた一九九〇年代には「草の根外交」という考え方が大変人気があった。各国の人が旅行、映画、伝統、音楽などを通じてお互いを理解し合い、各国を行き来し、貿易が盛んになることで各自の理解と絆が深まり、国際紛争が防げるという考え方だ。

これはアメリカのクリントン政権下において国家安全保障会議議長、国防次官補を歴任したジョセフ・ナイが提唱した「ソフト・パワー」そのものである。その国の文化やポップカルチャー、伝統、政治的価値観などにより各国から信頼を得て、世界における発言力や影響力を獲得する考え方だ。これと反対の概念が「ハード・パワー」で、軍事や経済により影響を及ぼすやり方である。「ソフト・パワー」は人々の潜在意識に訴えかけながら、推し活（ファン活動）、王室のおっかけ、旅行、飲食などでジワジワとファンを獲得するやり方なので拒否されにくい。

アメリカはこれを重要な外交戦略ととらえており、第一次世界大戦から第二次世界大戦ではハリウッドの映画製作に軍部が深く関わり、映像を「ソフト・パワー」として活用した。これはベトナム戦争や八〇年代以後も同じで、アメリカ政府は自国の豊かさ、強さを世界中に宣伝するために映画業界に支援を行い、世界中に戦争映画やハリウッド映画を輸出した。八〇〜九〇年代に日本のテレビでアメリカ映画が大量に放映されていたのもこの一環だ。

韓国は九〇年代から映画、K－POPに国が支援を行っており、いまでは韓国はK－POPの国として世界中で認知されている。韓国という国を知らなかった人が、BTSにより韓国の「場所」を知り、北の脅威にさらされていることを知る。ウクライナはSNSで美しい兵士が歌う国歌を流してバズらせ、イスラエルは誘拐された幼児の家庭で撮影された動画を流し、ハマスは泣き叫ぶパレスチナ人の動画を流して募金を募る。これらはすべて「ソフト・パワー」だ。

イギリス王室は、このようなイギリスの「ソフト・パワー」において、最も強烈かつ効果の高いものだ。他の国にはない伝統と歴史、荘厳さがあるが、しかし適度に開かれており、ゴシップもあるので、王室という儀式と伝統の側面が、現在の芸能界的な立ち位置にもなっている。堅苦しさと俗っぽさが実にうまくバランスが取れているのである。エリザベス女王の葬儀にプロの野営生活者から欧州大陸の超保守派、アメリカ人までも集まるのが、その証拠なのである。つまりイギリス王室というのは、単なる儀礼的なものではなく、イギリスにとっての戦略兵器であり、アメリカや欧州大陸の共和国が得ることのできない力なのである。そしていくら各国のＡＩが一般民に受けそうな動画や画像を流しても、イギリス王室の「本物」を凌ぐことはないのだ。

ところで日本と決定的に異なるのは、エリザベス女王の逝去直後にチャールズ国王の即位が祝われたことだ。

ＢＢＣをはじめとするメディアには即位を祝うメッセージが流れ、バッキンガム宮殿やウィンザー城に集まった一般国民は、チャールズ国王や王族たちに「フレーフレー」と声援を浴びせて大騒ぎ。拍手と笑顔で迎えた。

大陸では国王が死去すると、即位の儀式を経て新たな国王が誕生する。対してイギリスでは、前の国王が亡くなると自動的に即位が行われる。一九五二年、ジョージ六世が死去したとき、エリザベス女王はアフリカ諸国を訪問中だった。儀式もないまま現地で女王となったのだ。一日でも空位があれば、敵はその隙を突いて侵略してくるかもしれない――。そんな警戒感がある。「殺《や》るか殺られるか」の世界なのだ。

日本の皇室は国民統合の象徴であり、文化や伝統を体現する存在である。対してイギリス王室の役割は中世日本における武家や将軍家に近い。王様がいなければ軍が動かないのだ。イギリス国民には女王の死を悲しんでいる余裕はない。次の時代に備えるためにも、気持ちの切り替えが必要なのである。

イギリス国民にとってエリザベス女王は精神的な支えだった。なにせ九十六歳、在位七十年である。女王がいない時代を体験したイギリス人は少ない。女王は「居て当たり前の存在」であった。

イギリスの世論調査会社であるＹｏｕＧｏｖ（https://yougov.co.uk）が実施した調査によると、半数近くのイギリス国民が女王の訃報に涙を流したという。イギリス王室＝エリザベス女王。そう思ってきたイギリス国民は少なくない。

長期にわたりイギリス国民の王室に対する意識調査を行ってきた「British Social Attitudes」によると、二〇一五年には七三％が「王室を支持する」、四六％が「王室は非常に重要」と答えている。一九八三年の調査では「非常に重要」が六五％だったので、以前より低下している。しかし、「廃止すべき」と答えたのは一九八三年が三％、二〇一五年が七％。圧倒的マイノリティにすぎない。

イギリス国民が王室を支持する理由は、エリザベス女王のカリスマとリーダーシップにある。エリザベス女王は一九五二年、二十代で即位した。ビートルズやフェミニストが登場する前の話である。

当時のイギリスは保守的で、女性の立場は弱かった。男性はあらゆる点で女性より優れていると考えるイギリス人は多く、若者は年長者に従うべきだという風潮も強かった。

第二次大戦で疲弊したイギリスを復活させ、衰退が続く経済を立て直し、「大英帝国の栄光をもう一度！」と望む国民の期待に応えられるだろうか。そんな重責を二十代の女性に背負わせるのは酷《こく》ではないか。本当に国家元首を任せていいのか——。そんな懸念があったことは想像に難くない。しかし、エリザベス女王は見事に国民の不安をはねのけた。

先進性と伝統

合理性を重んじるイギリスは、金融やデジタル分野で世界の先頭を走っている。ビジネスのやり取りはドライでリストラも日常茶飯事だ。伝統的に個人主義が強く、近年は移民が大量に流入している。日本に比べて国家や地域社会への意識が希薄なのだ。

それでも、王室に関してだけは日本人が皇室に抱く感情と似たようなものを持っている。王族が文化的なアイコンとして重要な役割を果たしていることを知っているのだ。イギリスが文化的に他の欧米諸国と一線を画しているのは、王室の存在が大きい。

貴族と民衆の関係を抜きに、欧州の歴史を語ることは不可能である。土地などの資産を所有する貴族の頂点に、王室は君臨してきた。同時に軍隊を率いることで、自国の領土を敵から守ってきた。いざ戦争となれば、王族は前線で指揮を執ることも厭《いと》わない。伝統的に王族の男子は、学校教育の一環として軍事訓練を受けてきた。山や野原を駆けめぐるクロスカントリーやラグビーで体を鍛え、成人になれば兵役に就《つ》く。

王族が国民を政治・軍事の両面でまとめるために果たす役割は大きい。時代が変わっても、王族は厳《おごそ》かな儀式を重んじ、豪華な城や宮殿を住まいとする。その安心感をイギリス人と共有できるのは、皇室のある日本人くらいだろう。

ミリタリー女子

立憲君主国イギリスのエリザベス女王は、名実ともにイギリスという国の君主として強いリーダーシップとカリスマ性を発揮し、「君臨し統治する」というスタイルで戦後のイギリスを率いてきた。

戦後、イギリスは植民地を失い、大英帝国という国としてのあり方自体が大きく揺らぐことになる。さらに七〇年代、大不況で国は崩壊の危機を迎えた。それでも大手術により復活し、国際社会に大きな影響力を与え続けている。**イギリスの現在は、エリザベス女王の強い指導力なしに語れない。**

国王である父ジョージ六世の逝去により、二十代の頃から君主としての執務を行ってきた女王のスタイルを象徴する言葉は「硬派」である。

例えば女王は、実は「ミリタリー女子」の先駆けだった。戦時中は王族、しかも女性でありながら、軍務に従事していた。軍用車両の整備を担当したり、自ら車両を運転したりしていたのである。

戦時中の写真や記録映像を見ると、そこに若い女王がにこやかな顔を浮かべながらオイルまみれになって軍用車両を整備する姿がある。王族という立場で危機を避けるのではなく、自ら義務を果たしてきた方なのである。女王という立場に甘んじることなく、国民と一丸となって敵と戦う強い意志が感じられる。

若い王族は、芸能人との交流や海外での豪華な休暇、環境問題など流行のチャリティー活動を好むが、エリザベス女王は若い頃から華美に着飾ることもなく、常に国民を優先し、実直に伝統的な公務をこなしてきた。パーティーや休暇三昧の現在の王族とはなんたる違いだろうか。

女王は昔から、自らの感情を公にすることもなく、常にポーカーフェイスだ。環境問題やオーガニック食品への愛をフランクに延々と語り、我が道を行く息子のチャールズ皇太子とは大きく異なる。

また、マスコミへの怒りをあらわにする孫のウィリアム王子とも違う。全裸でラスベガスのプールのパーティーに参加するかと思えば、「王室は過去の植民地支配に関して全世界に謝罪するべきだ」と、妻のメーガン妃とともにネットで語るヘンリー王子ともずいぶん異なる。

エリザベス女王は、良い意味で古きよき時代の威厳ある女王だったのである。

ジョンブル魂の象徴

そんな女王の最大の息抜きは、スコットランドの田舎でのハンティングだった。自らハンドルを握って山の中でランドローバーを運転し、猟銃を構えて獲物を狙う。なかなかの腕前のようで、狙うのはウサギや小鳥ではなく大型の鹿。

なぜスコットランドなのかというと、スコットランドはイングランドが統治する領地で、君主として定期的に領地を訪問して、その権威を示す必要があるからだ。しかし女王夫妻は、個人的にもスコットランドの田舎を愛していた。毎年、夏の休暇はアバディーンシャーにある王室の離宮・バルモラル城で過ごしたほどだ。

皇太子妃であったダイアナ妃は、女王が好む山奥でのハンティング三昧の休暇を嫌い、パリや地中海で芸能人や富豪と交流することを好んだ。このようなスタイルの違いが、嫁と姑の距離を広げたともいわれている。

エリザベス女王がダイアナ妃の訃報を耳にしたのも、バルモラル城に滞在中のことだった。すぐさまロンドンに戻って追悼を行わなかった女王は国民に批判され、王室の方向性を変えることになった。ヘンリー王子とメーガン妃の王室離脱を受け入れたのも、大衆に受け入れられやすい王室に変わるという流れの一つである。

その一方で、開かれた王室を歓迎しつつも、イギリス国民は「ジョンブル魂」の象徴として女王を好意的に見ていた。頑固で質実剛健、硬派でチャラチャラしない。冷静で厳しい環境でも弱音を吐かない、という古き良きイギリス魂である。

八〇年代以前のイギリスの工業製品は、あまりにもスペックが高すぎて壊れなかったため、商売としてはかえってうまくいかなかった。それと同じように、損得抜きの精神性と誇りを保つ「イギリス的なもの」を体現していたのがエリザベス女王なのである。

クールでタフな印象を与える一方、国民と気さくに言葉を交わす開放性も兼ね備えていた。古き良きイギリス人そのものだった。

「最期」に選んだ城

女王陛下が「最期の場所」として選んだのは、ロンドンから遠く離れたスコットランドのバルモラル城だった。これも女王の人柄を象徴している。森と草原に囲まれた広大な敷地に、石づくりの城がぽつんと建っている。

城内はとても寒い。女王が使った家具を見ることもできるが、どれも古いものばかりで、カーペットも何百年にわたって使い古された趣がある。まるで中世の暮らしを再現したような空間である。

煌《きら》びやかな貴族のイメージとは真逆で質素な空間。日本人ですらその清貧さに驚くだろう。若い王族が好む、派手で享楽的な生活とは正反対だ。ダイアナ妃がバルモラル城に滞在することを嫌がっていたのは有名な話である。

バルモラル城があるスコットランドのアバディーンシャーには、ウサギやキジ、鹿が生息している。ウイスキーづくりに最適な綺麗な水に恵まれ、濃厚な牛乳と脂が乗ったサーモンは美味だ。イギリスで最もグルメな地でもある。

女王は毎夏、ここで休暇を過ごした。地元の商店や狩場のスタッフと交流しながら、家族とピクニックや狩りを楽しんだのだ。

重責から解放されたエリザベス女王は今頃、フィリップ殿下と温かい紅茶でも飲んでいるだろう。イギリスの栄光を願いながら。

女王陛下のいないイギリス王室の不安

エリザベス女王の国葬を終えたイギリスは、すっかり通常モードに戻った。切り替えの早さはイギリスらしい。新たに即位したチャールズ国王に与えられた重要な任務の一つは、イギリス王室のスリム化である。

エリザベス女王は王室の存続について懸念を表明していた。王室が時代に合わせて生き残っていくためには運営の合理化、王室メンバーの削減、行事の縮小が必要ではないかと考えていたのだ。

イギリスに限らず、欧州においては王室の役割がかなり変わってきている。テレビやインターネットが登場する以前、国民は王族の暮らしを詳しく知ることができなかったので、王室は非常に荘厳かつミステリアスなイメージを纏《まと》っていた。

ところが一九七〇年代から八〇年代にかけて、王室を扱うテレビ番組が激増。ゴシップ誌の王室報道も増加したことで、王室は神秘的な存在から「大衆に消費される存在」になってしまった。「芸能人化する王族」の象徴が、大衆から絶大な人気を誇ったダイアナ妃である。

ダイアナ妃やチャールズ国王だけではなく、その他の王室メンバーにも度重なる不倫やいかがわしい人物との付き合い、不適切な振る舞いなど様々なスキャンダルが襲いかかった。王室がテレビのリアリティーショーに登場する家族のような、いわば「見世物」となってしまったのだ。

インターネットの登場も大きな転機となる。王族はSNSにおいて、俳優やモデルなど

「インフルエンサー」のような扱いを受けている。エリザベス女王の国葬では、多くの人々が王族と写真を撮り、「有名人に会えました」といった調子でツイッターやインスタグラムに画像を投稿していた。

「開かれた王室」は一般国民に親近感を抱かせる一方、かつての威厳を失いつつある。結果として、王室の「支持率」は低下している。

前にも述べたが、長らくイギリス国民の王室に対する意識調査を行ってきた「British Social Attitudes」によれば、二〇一五年には七三％が「王室を支持する」と答え、四六％は「王室は非常に重要」と答えている。一九八三年には「非常に重要」が六五％だったので、支持率は低下しているのだ。「廃止すべきだ」と答えた人は、一九八三年は三％。二〇一五年は七％なので、およそ倍になっている。

仏イプソスの調査でも同様の傾向がみられる。二〇二一年には六〇％が「王室を維持するべきだ」と回答したが、二〇一五年の約八〇％と比較すると大幅に低下している。一九八四年には「王室がないとイギリスは悪くなる」と答えた人が八〇％近かったが、二〇二一年には三九％と約半分になった。「王室があってもなくても変わらない」と答えた人は、一五％から四一％に増加。王室への関心が揺らいでいる。

そんな事態を受け、チャールズ国王が王位継承権を有するメンバーを現在の二十三人から七人に削減する計画があると、タイムズ紙が報じている。

国王が所有する不動産「クラウン・エステート」の賃料はいったん国庫に入るが、その一五％が王室助成金として王族に支払われる。王室が所有する建築物や展示物などの見学料も貴重な収入源だが、近年はコロナの影響で大幅な減収。逼迫《ひっぱく》する財政事情も、王室のスリム化が叫ばれる理由の一つである。

スリム化論の大きな引き金となったのが、国王の弟であるアンドリュー王子をめぐる疑惑である。被害者女性が運営する非営利団体に、エリザベス女王が巨額の寄付をすることで和解となり、裁判は取り下げになったが、「もみ消した」ような状態になっている。とはいえ、アリバイがあやふやだったので「クロ」と感じている国民は多い。王室を支援してきた王室評論家や専門家の人々すら、アンドリュー王子を「出来損ないのゴミ」「甘ったれたガキ」「ナルシスト」呼ばわり。王室から完全に排除すべしの声が上がっている。

ヘンリー王子の「自伝」は賞味期限切れ

イギリス経済はロシア・ウクライナ戦争の煽《あお》りを受け、前代未聞のインフレに見舞われた。二〇二二年末からインフレ率が徐々に下がり始めたが、それでも一〇%近い数字を記録している。

企業は頭を抱えているが、一般庶民はさらに苦しい。賃金がまったく上がらないにもかかわらず、食料品の価格は一五%も上昇。高騰した光熱費も下がる気配はない。電気代とガス代が月額十万円近くになる家庭もある。

貧困層は「ヒート・オア・イート」つまり「暖房か食料か」を迫られている。暖房をつければ食事にありつけず、食事をとれば暖房なしで寒さを凌《しの》がなければならない。

イングランド銀行はインフレを抑制するために、金利の引き上げに踏み切った。しかし、これが住宅ローンに大打撃を与えることになる。

イギリスでは多くの家庭が、住宅ローンを変動金利で借りている。四%だった利息が七%に上がるケースもみられる。住宅ローンの支払いが八万円から二十万円に激増した世帯もあるという。貯金がほとんどなく、毎月の収入をすべて使い切る家庭もイギリスには多い。そんな状況で光熱費や食料品価格が急騰するのだからたまらない。

鉄道やバスなどの交通インフラやお役所が二〇二二年十二月から何度もストライキを

行った。子供の学校が休みになったり、移動できずに仕事を休まざるを得なかったりすることも多い。自営業にも大打撃である。

国民が非常に厳しい状況に追い込まれるなか、二〇二三年一月に発売されたヘンリー王子の自伝『スペア』は大きな驚きを持って迎えられた。

ヘンリー王子は自伝のなかで、自分たち夫婦が王室から差別されたという恒例のネタだけでなく、兄のウィリアム王子に殴られたり、軍隊時代にタリバンを射殺したりしたと語っている。

注目すべきは、自らの初体験を語っていることだ。相手は匿名であるが、タブロイド紙『ザ・サン・オン・サンデー』は、その女性が四十歳のショベルカー運転手サーシャ・ウォルポール氏と特定。インタビューまで掲載した。

チャールズ国王が所有する「ハイグローブ・ハウス」という田舎の邸宅にウォルポール氏が勤務していた二〇〇〇年、二人は飲酒して約五分間の情事に及んだという。「ハイグローブ・ハウス」では、王族が食べるオーガニック野菜の栽培や家畜の飼育などが行われている。

ヘンリー王子は以前も、ナチスのコスプレをしてパーティーに参加したり、全裸でラスベガスのプールに飛び込んだりするなど、スキャンダラスな言動でマスコミを賑《にぎ》わせてきた。

とくにナチスのコスプレの件は大失態である。エリザベス女王の夫であるフィリップ殿下の姉君がドイツ人と結婚しているので、王室への侮辱《ぶじょく》ともとらえられた。

このようなスキャンダルに比べると、自伝の内容は「想定の範囲内」といった感じで、イギリスの一般の人々は呆れている。いや、飽き始めている。ここまで王室の品位を落としまくった王子は救いようがないという空気が蔓延しているのだ。

国民の多くはインフレに悩み、コロナ後の大不況で食費を削らざるを得ないほどの状況に追い詰められている。街は閑散としていて、モノは売れない。潰れてしまった店舗は空き家のまま。

政府がそれなりに仕事をしている日本では、コロナ不況とウクライナ戦争の影響を最低限に食い止めているが、イギリスをはじめとする欧州の惨状は目も当てられない。そんななか、ヘンリー王子が馬鹿げた自伝を出版したのである。

チャールズ国王はヘンリー王子に甘すぎるという声も上がっている。国民の大半が反対しているにもかかわらず、王子は肩書の維持を希望しているが、チャールズ国王はそれも認める方針だという。

チャールズ国王の甘さが、イギリス王室の品格を落としている。イギリス王室の現状は、日本の皇室にとっても示唆《しさ》するところが多い。

国民統合の象徴たる皇室は品位を保つことが重要であり、歴史と伝統を汚すような行動をとるメンバーはたしなめられるべきだろう。

チャールズ国王「戴冠式」の致命的ミス

イギリスでは光熱費の高騰で生活が苦しい人々が多い中で、チャールズ国王の戴冠式を迎えた。

イギリスの祝賀ムードは抑え気味であった。なにせ景気が悪いから、国民の間に手放しで祝賀行事を楽しもうという雰囲気があまりないのだ。私は実際、戴冠式の数日前に郊外やロンドンの中心、戴冠式でパレードが行われたバッキンガム宮殿の前などに行ってみたが、なんとなく微妙な空気が流れていたのである。

エリザベス女王の葬儀では、真面目な感じの中年以上のイギリス人や、欧州大陸や旧植民地系の女性たちが多かった。王室ファンのコア層は五十代以上の女性である。とくに保守系で経済的に比較的安定した人々が多く、身なりがきちっとしていて、地味だが秩序を重視している。

海外から飛行機でやってきた方も大勢いて、「エリザベス女王に最後のお別れをしたい」「素晴らしい方だった」と誰もが口々に語っていた。エリザベス女王に対する深い尊敬の念を感じた。

ところが、今回の戴冠式には、そのような人々がバッキンガム宮殿の周りにあまりいなかった。バッキンガム宮殿の周りで徹夜していた人々は、どちらかというとヤンキー系で、通行人の迷惑など関係なし。道路に巨大なテントを張って泊まり込んでいるのだ。

アルコールが入り、泥酔している人も散見された。パーティー気分なのか、頭にユニオンジャックの帽子をかぶったり、全身に国旗をまとったりしていた。まるで宴会である。国王や王室に敬意を示すというより、単にバカ騒ぎしたいからノリでやってきたという印象を受けた。

小学生や中学生の子供たちの姿もあったが、学校は休みではない。授業を一週間近く休んで野宿しているのだろう。イギリスの学校には、子供の勉学を無視して学期中に休みをとって家族旅行をする親があまりにも多いので、近年はこういった欠席に厳しく、罰金を科す学校も少なくない。それでも、この親たちは気にしていないのだろう。

さらに驚くべきことに、バッキンガム宮殿の前では、自分で勝手に作成した王冠のオブジェを持参して、「これは自分が作った作品だ」と宣伝しまくって、王族の肖像画を描いて周りの人に見せまくっている人など、自作の王冠や絵を売る自分の商売に熱心な人々もいたのである。日本であれば眉をひそめられ、冷たい視線を浴びそうな行動だが、周りにいる人間もパーティー気分だから誰も気にしていない。

そんな雰囲気なので、エリザベス女王の葬儀で見かけたようなコアな王室ファンがこの場を避ける気持ちがよくわかった。伝統的な王室ファンが今回の戴冠式を手放しに祝福しないのは、一般の人々にとって王室が威厳を失っているように思えたからだろう。エリザベス女王という圧倒的存在を亡くした後、王族はユーチューバーやインスタグラマーのような存在になりつつある。

チャールズ国王のこれまでの行動にも原因がある。長年の不倫、ダイアナ妃の死、庶民を無視した豪華で意識の高い生活、無神経な発言、公務より趣味を優先してきたこと、そして弟と息子のスキャンダルだ。

今回の戴冠式には、アンドリュー王子とヘンリー王子が参加を許されていた。アンドリュー王子はアメリカの大富豪エプスタインと親しく、性的虐待が行われていたカリブ海の島に滞在していた。エプスタインは児童の性的虐待で有罪となっている。ヘンリー王子はエリザベス女王やフィリップ殿下が危篤状態だったにもかかわらず、妻のメーガンとともに王室の悪口を言いまくったり、暴露本を書いたりしていた。

公務をクビになった彼らは軍服着用こそ許されなかったが、出席自体は可能であった。アンドリュー王子とヘンリー王子の出席にがっかりした人々が多く、戴冠式当日も聖職者や周りの人々が二人には挨拶をしなかったり、非常に厳しい視線を投げかけたりしていた。その様子はテレビ中継からも伝わるほどだったので、現場はもっと厳しい雰囲気だったのだろう。

バッキンガム宮殿前に二つあるお土産屋さんには多くの王室グッズが揃っているが、戴冠式直前であってもグッズの半分以上はエリザベス女王に関するものだ。淡いピンク色の美しい茶器や女王様の写真をあしらったタオルなどが並んでおり、王室のコアなファンである女性たちには大人気で手にとって眺めている方が大勢いた。一つ三万円ほどのハンドバッグもエリザベス女王がモチーフである。チャールズ王はバッグやスカーフなど身につけるグッズには登場しない。エリザベス女王はその死後も「イギリスを代表するアイコン」として人々の心を摑《つか》んでいるのだ。ところが チャールズ王のグッズは非常に種類も数も少なく、手に取っている方も少ない。このグッズの不人気さは、王室の先行きを暗示しているような印象を受けた。

チャールズ国王は伝統的な王室ファンからの支持を急速に失ってしまった。このままでは王室の権威は低下の一途をたどり、民心は離れていくだろう。我が国の皇室のあり方にも何かを示唆しているように思えてならない。

おわりに

現在、二〇二三年の年末においても、欧州では相変わらずウクライナやイスラエルにおける紛争、世界経済の先行きが最も重要なニュースになっている。

こういった世界の動きは燃料価格や株価など日常生活に関わることも多く、教育資金や不動産価格の先行き、老後資金、自身の給料などにかなりの影響を及ぼすので、一般の人でも注目している人が非常に多い。

特に老後資金に関しては欧州も日本と同じく国民年金はそれほど多くはなく、大半の人は人並みの生活を送ろうと考えたら、若い時から資金を蓄えて運用するほかない。世界経済の動きや紛争の先行きは自分の資産に直接影響を及ぼす。そして、ここ最近、様々な国を賑わせている移民問題や難民問題も全く同じである。

こちらの問題は別の土地からやってくる人が住み始める、つまり、はっきり言って人口問題なので、投資計画やインフラの整備、教育や福祉制度、そして医療年金などにも大きな影響を及ぼす。使う人が増えるので、それなりの許容量が必要であるし、税金も使われることになるからである。

つまり、本書で取り上げたような様々な事柄は、欧州の人々にとっては直接、実生活に関わることも多く、学校であまり真面目に勉強していなかった層や若者でもそれなりに興味を持たざるを得ないのである。自分の家の光熱費や、一生懸命運用している年金の増減に甚大な影響があるわけだから当たり前だ。

ところが、自国のまわりを独裁国家や発展途上国、政治がかなり不安定な国々に囲まれているのに、日本の人々は世界の潮流に関する興味があまりにも薄い。日本は資源がない国でエネルギーの大半を輸入に頼り、工業生産に必要な素材も大半を海外に依存している。食料だって今は自給できているものは非常に少ないのである。

今この瞬間に東シナ海や台湾で有事が起きた場合、日本への海運がストップしてしまう可能性だって十分あり得るのだ。そうなった場合に燃料や化学肥料の原材料を輸入できなくなる日本では、人々が生活できなくなってしまう可能性が高い。

はっきり言うと、日本の人々が置かれている状況というのは欧州の人々よりはるかに不安定で、リスクが高いのだ。ところが、日本の書店に並んでいる書籍は健康や美容に関するものやテレビに出ている薄っぺらい芸能人や知識人の言葉を紙に書き起こしたものなど、実に緊迫感がなく、テレビでは芸能人のバカ騒ぎや食べ歩きばかりが流されている。

メディアも商売である。受け取る側つまりお客である消費者が国際情勢や経済に興味を持っていないということなのだ。本書をお手にとっていただいた読者は、このような日本人とは異なり、国際情勢や経済に主体的に興味を持たれている方が多いと思う。少しでも自分たちの生活を防衛することへの意識を高めていただけたらと思う。

また、本書では、イギリス王室に関する事柄を多めに取り上げているが、欧州においても王室というもののあり方が岐路に立たされている。それは日本の皇室にとっても同じことであるが、日本という国を象徴する存在がどのような変遷を遂げていくか、イギリス王室を参考に考えていただきたい。

本書は月刊誌『WiLL』の連載をまとめ、大幅に加筆修正したものである。執筆に当たっては、『WiLL』編集部の皆さんや、ワック出版編集部の方に大きなご支援をいただいた。改めてお礼を申し上げたい。

二〇二三年十二月吉日

谷本真由美

谷本真由美（たにもと　まゆみ）
1975年、神奈川県生まれ。シラキュース大学大学院にて国際関係論および情報管理学修士を取得。ITベンチャー、コンサルティングファーム、国連専門機関、外資系金融会社を経て、現在はロンドン在住。日本、イギリス、アメリカ、イタリアなど世界各国で就労経験がある。ネット上では「May_Roma」（めいろま）として好評を博する。

日本《にほん》では報道《ほうどう》されない 世界《せかい》のファクト

2024年1月28日　初版発行

著　者　谷本 真由美

発行者　鈴木 隆一

発行所　ワック株式会社
東京都千代田区五番町 4-5　五番町コスモビル　〒102-0076
電話　03-5226-7622
http://web-wac.co.jp/

印刷製本　大日本印刷株式会社

ISBN978-4-89831-893-5